二〇一一年秋、縁側の風景（撮影：渡辺貞明）

ただいま
見直し中

小川奈緒

技術評論社

はじめに

　この本を手にとっていただき、ありがとうございます。

　わたしの名前も、本を手にするのも初めてという方、日ごろブログなどの発信をご覧くださっている方にも、少し自己紹介をさせてください。

　わたしは1972年生まれ。文筆家として書籍や雑誌の文章を書いたり、編集から携わったりしながら、フリーランスで活動しています。２歳年上の夫と、中学生の娘と３人で、江戸川をはさんで東京の隣りに位置する、千葉県松戸市の古い一軒家に暮らしています。

　その家は、築年数40年を超える縁側付きの和風住宅で、そこをリノベーションする過程を綴った著書（『家がおしえてくれること』『直しながら住む家』）をこれまでに出版したり、ときどき雑誌などで家や暮らしを紹介していただいたりしてきました。

　そのときの写真から、田舎でのんびりと穏やかに暮らしているイメージを持たれることもありますが、現実の生活はそうでもありません。

　自由だけど不安も多いフリーランスとして仕事の悩みは尽きることがないし、更年期まっただなかで子どもは反抗期、親は後期高齢者です。

放っておけば落ちていく体力と、反比例して増えていく体重や体脂肪。おしゃれが好きなのに、お気に入りの服まで年々似合わなくなる現実にため息をつきながら、家事をこなし、古い家と庭を汗まみれで手入れして……という毎日です。

そのくり返しのなかで、お金の感覚、モノの持ち方、大切なことの優先順位などが、年齢や人生経験とともに少しずつ変わってきて、これまで気にならなかったことに違和感をもつことも増えました。そういうときは、違和感の発生元を突き止めて、じっくりと問題に向き合ってみるのが、昔から少々理屈っぽいところのあるわたしのクセのようなもの。でもその結果、自分なりの納得感や新しい視点を手に入れることも多いのです。

そんな「モヤモヤ、のち、気づき」の話を書く場所として、2019年にブログサービス「note」にアカウント（https://note.com/nao_ogawa）をつくり、毎週１本ずつ、読み切りのエッセイを公開してきました。

暮らしや仕事、子育て、おしゃれの話など、そのときどきで「これは書いておきたい」と思った話題を、とくに具体的なヴィジョンも持たずに毎回2000～3000字くらいで書いていたのですが、100本以上たまったとき、それらのエッセイを俯瞰で見てみると、そこに「これまでの習慣や思い込みを見直す」という１本の軸が浮かび上がってきました。

「今まではこうだった、こうして楽しくやってきた」→「でもこれからは同じやり方ではどうも続けられないらしい」→「ならば、どう変えていくのがいいだろう」→「まずはここからはじめてみようか」

多くのエッセイは、このように、ある出来事をきっかけに自分のなかにモヤモヤと広がった違和感を起点として、現時点での解答を導き出すまでの流れを綴ったものになっています。

今わたしが立っている50歳前後の年齢というのは、望まなくとも、そうしたさまざまな「見直し」が迫られる時期なのでしょう。律儀に毎週更新を続けた、つまりそれほど悩みが尽きなかった2年間を振り返りながら、思います。

だから同年代の方なら共感してもらえることも多いでしょうし、少し若い世代の方にとっては数年後のシミュレーションになり、また、上の年代の方には「自分もそうだった」と感じていただけるかもしれません。あるいは年齢とは関係なく、コロナ禍がこれまでのやり方を見直す機会になった方も多いと思います。どんな状況や立場にあったとしても、少し視界が広がるような感覚や、何らかのヒントをこの本から得ていただけたら、とてもうれしいです。

つまり、この本のテーマは「見直し」です。これからの人生を健やかに生きていくための、働き方、暮らし方、自分との向き合い方、体の整え方、モノの持ち方……などなどの、前向きな見直し。

見直した先に、「手放す」、「続ける」、「変える」、「はじめる」と決めたモノやコトについての話も、たくさんあります。noteで公開した文章も全体的に書き直し、書き下ろしも加えたので、毎週読んでくださっていた方も、きっとまた新鮮な気持ちで読んでいただけると思います。

巻末のコラムでは、わたしの目下の関心事である「グルテンフリー」と「自宅ワークショップ」についてのお話をうかがいに、料理家の今井ようこさんと、家内製手工業人の石澤敬子さんに会いに行きました。有意義なお話とともに、今井さんには米粉のおやつのレシピもご紹介いただきました。

本の内容の説明に続いて、これからエッセイをよりスムーズに読んでいただくために、わたしのこれまでの経歴を、ざっとお伝えします。

本と雑誌とおしゃれが好きな高校生のころから、将来の夢は「雑誌編集者」か「物書き」でした。

大学卒業後は小さな出版社に就職。その１年後にもう少しメジャーな出版社に転職して、念願のファッション誌編集者としての一歩を踏み出しました。時代は1990年代半ば。すでにバブルははじけ、出版不況も伝えられはじめていましたが、雑誌全体の売り上げは好調だったころで、忙しくも充実した編集者生活を送った20代でした。

仕事はとても楽しかったのですが、特集ごとにチームを組むカメラマンやスタイリスト、デザイナーといったフリーランスのクリエイターたちを見ながら、「自分は会社員よりフリーのほうが向いている気がする」と感じるようになり、29歳で退社。フリーの編集ライターとして活動を始めると、人脈にも助けられ、あちこちから声をかけていただきました。

はじめに

私生活では34歳で結婚し、36歳で娘を出産。その前後から、仕事の内容が暮らしやインテリアの特集、インタビュー記事といったライフスタイル系の分野へと広がっていきました。20代で１人暮らしをはじめて以降はファッションと同じくらいインテリアや料理も好きでしたが、わたし自身が家庭を持ったことで、周囲がそちらの引き出しを見つけてくれたのだと思います。

また、2010年にキッズ雑誌のウェブサイトに育児ブロガーとして誘われたのをきっかけに、自らの暮らしを文章で綴る楽しさに目覚めました。10代のころに描いた夢のうち、「雑誌編集者」のほうはすでに叶えていましたが、目の前の仕事に夢中になるあまり忘れかけていた「物書き」のほうの夢を、ブログをきっかけに思い出した、ともいえます。ブログを毎日更新し、少しずつ読者が増えていくにつれて、「やりたいことはこれだ」という思いが、どんどんくっきりしていきました。

雑誌編集者時代と新婚時代は東京の世田谷に暮らし、街の空気感がとても好きでしたが、娘が生まれると、子育てをしながら東京で忙しく働くこと、それもフリーランスとしてやり抜くことのきびしさを痛感しました。育児のために仕事をしぼればそのぶん収入は減り、すると高い家賃や生活費が重くのしかかってきます。

そのころ、実家のそばに住まいを移してはどうか、と千葉の両親や姉から助言があり、愛知県の夫の両親も賛成してくれたため、約15年ぶりに出身地である松戸に戻ることに決めました。そのための物件探しを

はじめに

するなかで見つけた家が、冒頭に書いた、この本にも写真で登場する現在の住まいです。

今回書いたエッセイには、住む場所が変わったことによって起きた、わたしの仕事内容や意識の変化の話も出てきます。どの変化も今なお進行形で、改稿作業をしていると、「この文章を書いてからまだ１年も経っていないのに、もうこのときとは考えが少し変わっている」なんてこともありました。それくらい、心も体も絶えず揺れ動く年齢だということでしょう。

そんなことも含めて、今わたしと同じように、これまでの価値観が揺らいでいる方が、この本を読みながら「迷っているのは自分だけじゃない」「このモヤモヤもきっと意味のあることなんだ」と、ちょっとでも気がラクになってくれたらいいな、と思います。

そして、モヤモヤのトンネルをいつか抜けて、「あのとき悩んだのは無駄じゃなかったね」とお互いを労いあいたい。

仕事も、家事も、子育ても、自分や家族が年を取ってゆくことも、なにかとしんどいけれど、そんな日々を明るくしなやかに生き抜く知恵を、この本を通してみなさんといっしょに見つけられたら、と思います。

第3章　続ける　93

Photo

第4章　変える　145

第5章　はじめる　181

Interview

第1章　見直す

日曜の晩酌をやめてみたら

日曜の夜にお酒を飲むことをやめたら、どんな感じだろう？　と思い立ち、どうやら、「このままやめていいのかも」という結論に至りそうだ。

両親ともにお酒に強い環境に育ったわたしは、20代から30代にかけて、自慢できることじゃあないが、よく飲んだ。

めいっぱい働いた後は、類は友を呼んで、そろって酒好きの仕事仲間や友人たちと、思いっきり飲んでしゃべって元気になって、翌朝からまた働く。それが当時の生活サイクルだったといっていい。親ゆずりの丈夫な肝臓のおかげで、飲んでいる間のわたしは、周囲からは「飲んでも全然顔に出ないし、テンションもまったく変わらない」と言われる。本人としてはご機嫌で、愚痴っぽくなったり、誰彼かまわず絡んだり、メソメソ泣いたりするタイプではない（もちろん例外はあった）。

お酒はおいしいから好きなのであって、だから１人でも飲むし、そのしあわせも知っているつもりだ。ひどい二日酔いの思い出は数えるほどしかなく、若さにまかせて、休肝日の必要性もまったく感じていなかった。勝手に、また都合よく、自分とお酒は相思相愛だと思っていた。

そうして迎えた30代半ば、やはりビールが大好きな夫と出会って結婚したものだから、子どもを授かるまでは、夫婦で、そこに友人も加わって、毎日がおうち飲み会という日々を過ごした。あれはあれで、めちゃくちゃ楽しかった。

妊娠がわかってからは飲むのを止め、出産後も、授乳していた１年半の間は飲まなかった。いや、最後のほうは、外で人と会うときは、ちょこちょこ飲んでいただろうか。とにかく、あの「ほぼ禁酒」の２年余りを過ごしたおかげで、「飲まなきゃ飲まないで十分しあわせなものなんだな」という実感を持てたことは大きい。それまでは「飲まない人生なんて楽しくない」と、本気で思っていたから。

娘の卒乳後は、じわじわといつのまにかまた「飲む人」に戻っていったのだが、40歳を過ぎたころの健康診断で、２歳上の夫の肝機能の数値が基準値からだいぶはみ出してしまった。酒量的に変わらないわたしのほうは、基準値内どころか、低めなくらいなのに。でも、いっしょに暮らしている人がいるのに１人で飲むのはつまらないし、気も遣うので、夫の禁酒に付き合うことにした。

そのことを酒飲みの友人に告げると、「エラーイ。自分なら絶対１人で飲んじゃうけどね」と言われたけれど、前述の通り、お酒を断つのを数年前に経験済みだったことが大きいと思う。仕方ない、じゃあまたやりますか、ってくらいの軽いノリで禁酒した。

夫は再検査までの１か月あまり禁酒したところ、肝機能数値はまだ高めではあるものの、基準値近くまで下がることは下がった。でも、本人としては一度怖い思いをしたせいか、「もう昔みたいにいっぱい飲まなくてもいい」と言って、それ以降は酒量がぐんと減った。わたしもこの一件で、一生のうちで、毎日飲んでいればただ楽しい、って時期は終わったんだな、という気がして、「これからお酒は週末だけにしよう」と夫と話して決めた。41歳のときだった。

それからは、平日は基本的に飲まず、金曜夜から週末だけ飲むという生活になり、体調的にも、気分のメリハリという点でも、そのリズムが気に入っていたのだけど、日曜に関してはグレーゾーンだった。

夫はビールを飲んだり飲まなかったり、わたしはワイン１、２杯飲むことが多かったけど、思いきってそれもやめてみることにした。なぜかというと、体質改善のためにグルテンフリーを試した（P.112）ことで、朝の目覚めがよくなり、そうすると逆に、お酒を飲んだ翌日の「ちょっと残っている感じ」が前よりも重たく感じられるようになってきたのだ。いつもより少しゆっくりできる土曜と日曜の朝はそれでもいいけれど、これから１週間がはじまるという月曜の朝に、その重たさが、少しわずらわしくなってきた。

そこで、日曜夜もお酒は控えて、飲む日と飲まない日のバランスを２：５にしてみたところ、３：４だったときよりさらに体も気分もいい感じ。

単に我慢や節制ではなく、減らしたかわりに得られるものがわかっていると、状況に応じて１：６にしたり、今週はやめよう、今月はやめてみよう、数か月やめてみよう、なんてことも気軽にできそうな気がしてくる。

いっぱいお酒を飲んでいた30代前半までの日々を振り返りながら今、思うのは、お酒を飲む夜の楽しさと、お酒が残っていない体で目覚める朝の気持ちよさ、どちらを1日の軸に置くかで決めればいいんじゃないか、ってことだ。やっぱり、久しぶりに友人と語り合うような夜は、お酒を飲みたいと思うし。

でも、とくにそういう日ではない日常においては、子どもを午前6時台に送り出し、自分の仕事も午前中になるべく集中したいとなると、今ははっきり朝が大事といえる。ならば、翌朝に早起きすることが前提の平日と日曜の夜は、基本的にはもうお酒はいらないということかもしれない。もちろん、どうしても飲みたい日は、無理して我慢するほどストイックには考えていないけれど。

日曜の晩酌の見直しを思いついたころ、雑誌『スペクテイター』の食堂特集号（2018年 vol.42）をきっかけに興味が湧いた『渋谷のすみっこでベジ食堂』（駒草出版）という本を読んだ。

渋谷にある「なぎ食堂」の店主・小田晶房さんが、フリーター、編集者、音楽レーベル運営などの仕事を渡り歩きながら、ベジタリアン向けの食堂を開き、それを軌道に乗せるまでを綴った自伝的エッセイである。

なりゆきで編集者になったものの、この仕事で一生はやっていけないだろうな、としだいに考えるようになった著者は、ベジタリアンの海外ミュージシャンをアテンドするなかで、肉を食べない食生活に興味を持つようになる。試してみると、意外にいいなと感じて、その後、「飲んでいるほうが普通」だったお酒も、居眠りで火事を起こしかけたことから断酒を決意。わたしよりずっと自由にダイナミックに生きている人だとは思いつつ、共感することはたくさんあって、「これは読んでおいてよかった」と心から感じられた本だった。

そのなかで著者が、「20数年前にタバコを、12年前に肉食をやめて、6年前にアルコールを摂ることをやめた。そんな経験から思うのは、何かを『やめる』っていうことは、何かを『始める』よりも簡単で、効果も大きいんじゃないか、ということ」と書いているくだりは、大きくうなずきながら読んだ。

この本がいいのは、だんだんとヘルシーな食生活へと変化していった過程が書かれていながら、そこにストイックさや思想の押しつけ感がないところ。著者の職歴が語るように、自然に身を任せながらそのときどきの自分にフィットする場所を求めて生きてきた結果、食堂の経営や市民運動など、新しくはじめることが出てきたし、肉食や飲酒はやめることになった。「ほんと、ただそれだけなんだよね」ってトーンで、ちょっと照れくさそうに、でもすごく率直に自分の半生を語っているところに好感を抱きながら、ときに涙を流しながら、最後は清々しい気持ちで本を閉じた。

そうそう、日曜のお酒がグレーゾーンだったときは、夕食を食べながら観る『ちびまる子ちゃん』と『サザエさん』は、ほろ酔いだから一層面白いんだろうって思い込んでいたのだけど、全然そんなことはなかった。しらふで観てもバッチリ面白い。それがわかって、これらの番組へのリスペクトがさらに深まった、というのもまた収穫。

携帯料金で浮いた８千円について

2020年３月、まるで虫の知らせがあったみたいに、「そうだ、あれをやろう」と携帯電話の契約の見直しを思い立った。

コロナの感染者数が日々報じられてはいたものの、まだ最初の緊急事態宣言の発令前。首相も変わっていなくて、大手携帯電話会社の値下げの話も出ていなかったときのことだ。

毎月のカードの支払い明細書を見るたび、携帯料金の高さにため息をつく。いったいそれを何年、何回、くり返してきたのだろう。

ほんの10年ちょっと前は、月２万円以上も払っていた記憶があるが、ここ数年は電話の使用がどんどん減ってきたことや、基本料の多少の値下げなんかもあって、支払いは１万円前後で落ち着いていた。それでも、「やっぱり高すぎないか」という思いはずっとあった。便利に使っているし、もはやスマホなしの生活は考えられない。だとしても毎月１万円、１年間で12万円、だいたい端末代金が10万円超ってどうなの？という疑問。でも、みんなそれを払っているし、わたしだって払ってきた。いや、そうだけど、そうなんだけど！　……そんなモヤモヤ感が、だんだん無視できないレベルになってくるにつれ、周囲からチラホラと「スマホの契約先を大手キャリアから格安SIMに乗り換えたら、電話代が２千円になってビックリ」なんて話が聞こえてくるようになった。

うん、そうだよ。いくら必需品のスマホといっても、やっぱり月々２千円くらいの使用料が、モヤモヤを感じずに気持ちよく使えるラインだと思う。そう感じたわたしは立ち上がった。ちょうどコロナでいろんな予定も飛んで、時間がぽっかりできたタイミングでもあった。

とはいえ、料金プランの変更や、携帯電話会社の乗り換えまでを視野に入れるとなると、メリットデメリットも調べて比較したいし、それなりのやる気とエネルギーを要する。

それに、いざ手続きとなると、携帯電話ショップへ行かねばならない。忙しかろうと、暇な時期であろうと、あそこへ行くのはいつだって気が重いのだ。あの携帯電話にまつわる一連の手続きを通してもたらされる疲労感を、好きだという人は少ないだろう。けれど、 それを乗り越えなくては、高い電話料金を払い続ける日々はどこまでも続く。

ウィルスへの感染、外出の制限、収入が減ることなど、さまざまな不安要素が「やるなら今だ」とわたしの背中を押す。駅前のソフトバンクショップに連絡して、夫と２人分の相談の予約を入れた。

予約当日、わたしと同じく憂鬱な面持ちの夫と、店舗へと出向く。数年ぶりに行う手続きは、それなりに心づもりはしていたものの、相変わらず忍耐力を問われるものだった。

とくにわが家は、自宅のインターネット回線の料金と携帯電話料金の支払いをセットにしていたり、子ども用の携帯を家族割で契約していたり、家計管理のために携帯料金とネット回線料金の引き落とし口座を分けていたりと、勧められるままにさまざまなサービスを利用していたせいで、ただでさえ複雑な手続きが、さらに複雑になってしまったらしい。

ことあるごとに担当スタッフが席をはずし、奥で何やら確認しているのを、テーブルに残されたままじっと待つ。そんなアイドリング状態の時間がたびたびはさまれ、時計の針はどんどん進んでいく。「これを乗り越えれば」と何度も自分に言い聞かせて、どうにかこうにか格安SIMへの切り替えが終了して、店を出られた時刻は、入店から３時間半後だった。わたしも夫も、数時間まともに口が聞けないくらいクタクタになったけれど、その甲斐あって、１人あたり１万円前後払い続けてきた携帯電話料金は、うわさに聞いていた通り、翌月から約２千円に下がった。ネットの通信速度など、使い勝手の面では何の不便も感じない。ということは、そこに生じる差額の８千円は？　１年にしたら、約10万円だ。いったい何に支払ってきたお金なのだろうか。こんなことなら、もっと早く乗り換えていればよかった！と地団駄を踏む。

けれど考え方によっては、コロナ禍で気分も沈みがちな今、電話代を夫婦合わせて毎月１万６千円もカットできた事実は、わたしたち夫婦の心を明るく照らしてくれた。だから、このタイミングでよかったのだと思うことにしよう。

こんなふうに、固定費として毎月仕方なく出ていくとあきらめている支出でも、内容と質をほとんど変えることなく、負担を軽くできる方法は、実はちゃんと存在しているものなんだ。もちろん大っぴらにではなく、ごくひっそりと。

そして、そこにたどりつくには、今回の乗り換えのように、どんな手間も時間もいとわない、という覚悟と忍耐力が必要なのだ。

それにしても、だ。何の変化も不便も生じないのに、毎月８千円も浮くなんて。電話料金の明細が届くたびに、うれしいやら、くやしいやら、疑わしいやら、旧契約先にこれまで払った金額を考えたらクラクラするやら、いろんな感情が交錯してしまう、しつこいわたしなのであった。

親切すぎる生命保険と、会話のない庭師

加入している生命保険を、見直すことにした。

娘の出産を機に、両親が長年契約している保険会社を紹介され、親が信頼を置いている相手であることにすっかり安心して、他社との比較検討もせずに契約した保険である。

保障内容も細かい部分まで理解できておらず、数年に一度、相手から新しいプランへの切り替えを提案されるたびに「なるほど、そうしたほうがよさそうだ」と素直に提案を受け入れながら、10年以上も継続してきた。

先日またプラン変更を提案され、月々の支払い金額もあまり変わらないし、一度は「いいですよ」と契約書にサインをしたのだが、担当者を見送った後、なんとなーく、モヤモヤとした気持ちが残った。

その保険会社の担当者は、契約の更新やプランの見直しのたびに毎回自宅に来てくれるのだけど、とにかく滞在時間が長い。もう70代の女性で、40代から営業をはじめられたそうだから、この道30年のベテランさんだ。母との付き合いも長いため、共通の話題としてまず母の近況に

ついてしばらく話すのが、おきまりのパターン。

その後、本題の保険の話に入っても、「たとえばわたくしも、これこれこんな事故や病気で数日入院したことがありましてね、そのときはこの保険に入っていたおかげで……」と実例を出しながら説明してくれるのだが、そうした話もひとつひとつが長い。で、聞いている最中は、わかりにくいところは何もないように感じるのだけれど、話があちこち飛ぶせいもあるのか、後から思い返してみると、「それで、新しいプランに変更したら何がどうよくなったんだっけか」と、肝心なことがよくわかっていないことが多いのだ。

一番の問題は、わたしの保険の知識が足りないため、理解が悪い点にある。でも、ちょっといじわるな見方かもしれないけれど、相手の営業テクニックもやはり巧妙なのだと思う。

母と同じくらいの年齢の女性に「余談はいいから本題だけお願いします」なんてなかなか言えないし、そもそも本題と余談の境界線が見えない、ずーっと同じテンションで続いていく話し方なのだ。それを真面目に聞いているうちに、「たしかにそうした不測の事態で困らないように、この保障はつけておくべきかな」という気持ちになってくる。ほら、この時点でもう相手の思うツボだ。オプションをつけるほど安心に安心は重なっていくわけだけど、そのぶん毎月の支払額は高くなるわけで、それが収入に見合っていないことに、10年かかってようやく気がついた。

ただでさえ保険というものは、もしもの事態を前提にした商品なので、それにどう備えるか検討するのは、ワクワクと胸躍る作業ではない。もしもの事態をシミュレーションするうちに、気持ちがどんどん重く暗くなってくるし、担当者が帰った後は、どんな長時間の打ち合わせよりも疲れたと感じる。

しかし、今回のモヤモヤ感の出どころは、そうした神経や体の疲れとはまた別のところにあるように感じた。わたしはいったい何に納得していないのか。頭のなかで時計を巻き戻し、考えてみた。

そもそも今回の訪問の目的は、数日前にそのベテラン生保レディから電話がかかってきて、「契約中の保険に関して、ある書類の確認とサインが必要なので、ちょっと寄らせてください」と言われたのだった。その時点で「新しいプランへの変更を提案したい」という話はしていなかった。

わたしは忙しいのと、また滞在が長くなるのを警戒して「時間はどれくらいかかるでしょうか？」とたずねた。すると、「あら、お出かけのご予定があるんでしたら、別の日でも」と生保レディ。「いえ、出かけはしませんが、締め切り前なんです。でも、早めに済ませたいので日にちは変更しないほうがありがたいんです」と返すと、「そうですねぇ……30分もあれば」。

ところが、当日は話がすべて終わってみれば、また2時間が経っていた。後半わたしが意識的に「巻き」に入らなければ、もっと長引いたかもしれない。けっして感じの悪い人ではない。むしろ、感じはとってもいい。しかし、書類にサインだけ（これ自体はものの10分で済んだ）のはずが、結果的に相手のペースに飲まれて契約内容の変更という展開になっていたことに、後から「果たしてこれでよかったのだろうか？」と疑問がむくむくとふくらんでくる。

数日後、実家で母にこの件を話してみた。じっくり話しているうち、ネット保険まで含めれば、母が保険選びをした時代より選択肢がずっと豊富な現在、必ずしもわたしにとって最適な相手ではないのかもしれないね、という結論に至った。そこで、先日交わしてしまった契約は、まだクーリングオフ期間だったため一旦取り消し、元のプランに戻した。そしてすぐに、保険会社自体を変えることも含め、今度は母を頼らず自分で保険の見直しをすることにした。まずはネットで生命保険の基礎知識や各種オプションの特徴を理解し、駅前にある「ほけんの窓口」にも相談してみようと思う。

今まで勧められるままに「はいはい」とハンコを押してきた身としては、ほとんど一から勉強するのと同じであり、やはり胸躍る作業ではない。けれど大人としてやらなければいけないことで、その時期がきたのだ、と今さらながら思った。

ちょうど同じタイミングで、10年に渡り年２回ずつ庭木の剪定をしてもらっていた造園業者も、思いきって変えることにした。

これも実家つながりの縁で、いつも実家の庭の剪定の後、車で20分ほどの距離にあるわが家も回ってもらい、生垣と松の剪定をやってもらう。２軒まとめて作業することで、料金を割安にしてくれていた。いかにも職人気質の無口な親方が、若いスタッフを２人ほど伴ってやってくるのだが、なぜか年々コミュニケーションが希薄になっていくという謎の関係性で、悩みというほどではないのだけれど、正直ちょっと気の重い相手ではあった。

お茶菓子を出す休憩のときに、親方に庭木の手入れについて相談しても、「あぁ」とか「いや」とかこれ以上短い返事はないんじゃないか、という受け答えしか返ってこないものだから、こんな素人っぽい質問をして失礼だったかな、なんて気持ちになってしまう。

で、親方がそんなだから、若い職人さんたちだけがきたときも、みんな同じような態度なのである。この造園会社は住人との会話を禁じているのだろうか？　しかし、こちらはどうでもいい世間話がしたいわけではなくて、庭木についての真面目な相談をしているだけだ。もう少し親切に対応してくれてもいいのに、という不満が毎回残る。よく見ていると、若手の顔ぶれがコロコロ変わるため、母がその辺をちらっと聞いたところ、「若い奴らは長続きしなくて辞めちゃうから、人手で足りなくて大変」と、親方は苦々しい表情でボソリともらしたという。つまり、慢性的な人手不足によって、親方のストレスはたまる一方というわけか。

とはいえ、母によると、実家のほうでも親方の愛想はたしかによくはないが、うちほどひどくはないらしい。おそらく親方に負けないくらい強面のわたしの父が、ずっと張り付いて質問攻めにしているせいだろう。親方も相手によって微妙に態度を変えていて、わたしは造園の知識が乏しいわりに、やたらと積極的に聞いてくる面倒な客として、親方からは適当にあしらわれていたのかもしれない。

とにかくそんな釈然としない思いを年２回ずつ、10年も積み重ねてきてしまった夏、とうとう決意は固まった。親方から「明日の午後に剪定に行きます」と急に電話が来て、翌日午後１時に来たと思ったら、１時間半後には「もう終わりましたんで、次がありますんで」とさっさと帰ってしまったのだ。いつもの所要時間の半分も経っておらず、こちらは３時のお茶休憩に出す和菓子を、わざわざその日の朝に買いに行ったというのに。まぁ、それはこちらが勝手にやったことではあるにせよ。

たしかに猛暑だ。ずっと雨続きだったからスケジュールが立て込み、実際にあともう１軒、予定を入れたのだろう。パッと見るかぎり、わかりやすい手抜きも見あたらない。けれど、さすがにそのとき「もう庭師さん、変えよう」と決心した。

うちにあるのは古い庭木ばかりだから、しっかりと技術のある庭師さんにお願いしたいし、その点では条件をクリアする相手ではあった。でもやっぱり、もっとちゃんとコミュニケーションがとりたい。保険の話がだらだら長引くのはイヤだけど、大切な庭について何の会話もなく事務的に作業されて、そそくさと切り上げられてしまうのもイヤだ。こちらとしては、彼らの仕事に感謝しながらお金を払い、「今後ともよろしくお願いします」と爽やかな気持ちで送り出したいのである。

保険会社も造園業者も、どちらもわたしが30代のころ、家族や家を持つ自覚がまだぼんやりしていたときに、親に勧められるまま付き合いはじめた相手だ。自分で探して選んだ相手ではない。

10年というタイミングで、もはや見過ごせないほど大きくなってきた違和感について、ここらでちゃんと向き合ってみようと決めた。

食費とQOL（クオリティ・オブ・ライフ）

増税や年金問題、その後はコロナによる世界的不況もあり、家計管理や節約術といった特集が、新聞やテレビや雑誌などでも増えたと感じる。

わたし自身、保険の見直しをきっかけに、どんぶり勘定で生きてきたこれまでの自分が今さらながらはずかしくなって、ちゃんとお金の勉強をしないと、という意識が芽生えた。そのため、以前なら素通りしていたそうした特集も、なるべく真面目に見るように心がけているのだけれど、１つ問題なのは、フリーランスの場合は収入額が月によってまちまちだということ。よく専門家が提唱している「食費は収入の○％に抑えるべし」といったルールを適用することができないので、収入に関係なく、使うお金の額は結局自分で決めるしかない。

少し前から、スマホに家計簿アプリをダウンロードし、買い物のたびにその支払額を入力している。食材の買い出しで毎回いくら使っているか、１か月でどれくらいの出費になっているかが一目瞭然で、とても便利だ。

買い物へ行くと、支払いを終えた直後、スーパーの荷詰め台でレシートを撮影して入力をすませてしまうこともあるし、それができなければ、帰宅して食材を冷蔵庫にしまったらすぐに入力する。夜更けのダイニングテーブルに家計簿を置いて、コツコツ数字を書き込むような堅実な主婦像からはほど遠いが、それでも、食費の記録を通して見えてきたことがある。

うちの場合、家族構成は大人２人と中学生１人。大人はともに在宅ワーカーで、コロナ禍前から外食はめったにしないため、自炊率９割以上。それで１か月の食費は平均５万円という実態である。年末年始など、ごちそうをつくる機会が増えると、そのぶん支出も増えて６万円を超えてしまう月もある。でも、その後また普段通りの食事に戻れば、だいたい月５万円に収まる。

また、週末の楽しみとして飲んでいるお酒がずっとワイン党だったのが、グルテンフリーの食生活によって和食の献立が増え、それにともない日本酒を買うことが多くなった。そのせいでお酒代が以前より減ったかも……なんて変化が、家計簿アプリのグラフから読み取れる。なんだかゲームみたいで楽しくて、質素倹約の意識はほとんどない。

たとえば月の真ん中あたりに食材の買い出しへ行き、支払い額の入力を済ませると、あれれ、今月もう３万円超えちゃったわ、なんてことがよく起こる。そんなときは自然に「あと２週間を１万５千円でどうしのぐか」というサバイバルモードにスイッチが入るのがおもしろい。

こんなとき有効なのが献立作戦で、冷蔵庫の中身を見ながら、今ある食材で何日分の食事がつくれるかを紙に書き出していく。すると、１週間くらいはなんとかいけそう、だったらそのあと１週間で１万５千円もあれば余裕じゃないか、と不安は消える。

何よりいいのが、献立をつくると、食事内容が健康的になることだ。ごはんと味噌汁を基本に、メインのメニューと副菜を組み立てるとき、自然にバランスを考えている。そのときどきの安くておいしい旬の野菜も多く取り入れるため、気分は学校給食の献立をつくる管理栄養士さんのよう。

献立表を冷蔵庫に貼っておけば、冷蔵庫がすっからかんになってきたとしても、自分も家族も不安にならない。それどころか、一見からっぽの冷蔵庫から、こんなにバランスのいい食事が！と夕食を前に自画自賛したりして。こんなときは、自分の生活者としての賢さやたくましさがちょっと鍛えられたかもと、うれしくなる。

冷蔵庫といえば、たまにテレビで、一般家庭のギュウギュウの冷蔵庫の奥から謎のタッパーがいくつも出てくる、といった場面が映し出されるたびに、なぜこうした事態が起こるのかと不思議な気持ちになる。いや待てよ、テレビのなかだけではなかった。今は近くの高齢者施設に暮らす義母が、その前に２年ほど１人暮らしをしていたマンションの冷蔵庫が、まさにそれだった。残り物を食べる前に、新しい食事をつくる、それを積み重ねた結果ということになるのだろうが、帰省するたびに冷蔵庫のなかをチェックして、古くなってしまった食べ物を捨てるのは、とても胸が痛んだ。

義母の場合、専業主婦として50年近くも家族のために食事をつくる人生だったため、義父を亡くした後、１人分の食事をつくるのがどうもうまくできないようだった。かといって友達と頻繁に外食するタイプでもなく、家にいるのがいちばん疲れなくて安心、という性格で、食事のたびに残り物に手が伸びずにいたら、その皿はどんどん奥に追いやられて……などと想像しながらの冷蔵庫そうじは、尚更つらかった思い出がある。

「冷蔵庫にあるもので食事をつくる」「残っているものから食べる」「冷蔵庫に食材がなくなったら買い出しにいく」という基本姿勢でいれば、そういうことにはならないし、フードロスだって減るだろう。意識高い系の人たちやスーパー節約主婦にかぎらず、今あるものを使いきる姿勢と、それを楽しくやれるスキルの両方をみんなで上げていけば、深刻化が伝えられる地球上のさまざまな問題にも待ったをかけることはできるんじゃないだろうか。

と、話が少し大きくなってしまったけれど、とにかく今、自分のなかではっきりしているのは、これから先、収入が増えようと減ろうと、生活に関する支出はできるだけ減らしたいということだ。

なぜなら、お金を使わなくてもしあわせに生きられる人になりたいから。これは縮小ではなく進化で、人生のレベルアップととらえている。

といっても、わたしは若いときからずっとこういう考えだったわけじゃない。むしろ、今よりも稼ぎがよかったぶん、お金を使うことに対しても、捨てることに関しても、もっとずっと無頓着だった。そんな過去と、収入も支出も小さく慎ましく暮らす現在を比較してみたとき、なんだか今のほうが、生活に対する充実感、すなわちQOL（クオリティ・オブ・ライフ）が向上しているように思える。生活が充実しているとは、つまり、しあわせ度が上がっていると言い換えていいのだろう。それがわかった以上、人生において、お金を使うことと、しあわせを感じることをちゃんと分けて考えたいと思う。

食費のレシートをスマホで撮影して記録する、たったそれだけの習慣が、この先の人生や地球の向かう先まで考えるきっかけにもなるのだ。

スターの時代がやってきた

映画のプロモーションだというのはよくわかっていても、連日ありとあらゆる番組に、菅田将暉くんが出演しているのを見ては、ウキウキと胸を弾ませている。

日曜夕方の『笑点』まで出てきたのは、本当にびっくりした。ここまで幅広い層に向けて、なんでもイヤミなく、さらっとやりこなせちゃう俳優さん、他にいるだろうか？　これまでいただろうか？　つくづく「マルチ」なんて言葉ではくくれない多才ぶりに、惚れ惚れしてしまう。

ルックスがよくて演技力もある、という条件がそろっている人なら、他にもいる。けれど、若くても独自の空気感をまとっていて、ギターも歌唱も曲作りもできて、しゃべったらおもしろく、おしゃれで着こなし上手で、おまけに自らミシンを踏んで服まで縫っちゃうらしい。もうここまでくると、「できないことは何ですか？」と聞いてみたい。でも、そんな質問を投げられたところで、きっと肩の力の抜けた、いい感じの答えを返してくれるんだろうな、と期待がまた高まったりして。

多趣味でこだわり屋の、ちょっとアクの強い俳優さんなら、わたしと同世代でも何人か浮かぶけれど、バラエティやトーク番組、さらにコントまで楽しげにやってのけちゃう柔軟さは、彼らになかった。いや、あったのかもしれないけれど、世間がそこまでを求めなかった。

でも今は、能力が全方向にバランスよく高く、器用で感じもいい、「ハイスペック」「二刀流」はたまた「三刀流」みたいな人が、メディアの人気を牽引している気がして、それがすごく今っぽくていいなぁって思う。

わたしが社会に出て、新人として過ごした1990年代後半は、エッジの立ったファッション誌やカルチャー誌、インディーズ映画などに追い風が吹いていた時代。

ファッションをモテの目的にせず、このブランドが好きで、この古着が可愛いから着たいという気概にあふれた、インディペンデントなおしゃれ心を持つ女の子たちもたくさんいて、そうした読者を持つティーンズ誌編集部にいたわたしは、仕事を通して、勢いのあるクリエイターの方々と多く関わった。

そのなかには、アーティストとしての才能はあっても社会人としてはどうなのよ、とヒヨッコのわたしでも思ってしまう人もいたし、でもそれを認めて受け入れる空気が、妙にちゃんとあった。

妙に、と書くのは、わたし自身は編集者としての経験が浅いせいもあって、というか、つまりは青臭かったから、そのあたりの寛容さを持ち合わせていなくて、エキセントリックだったりルーズだったりする人たちと仕事をしなくてはいけない状況になるたび、気が重かったからだ。そして、どこか腑に落ちない感情を、いつももてあましていた。

センスがよければ、わがままで、人を傷つけるような言動をしてもいいの？　才能があれば、時間や約束を守らなかったり、突然連絡がとれなくなったりしても仕方がないの？

たとえば、宇多田ヒカルほどの天才アーティストなら、さすがに仕方ないかなって思う。というのは、以前テレビで、彼女の密着ドキュメンタリーを見たら、歌詞作りに苦しむあまり、レコーディングスケジュールが押しに押して、最後はスタジオに姿を現さなかった、とあった。でも、どんなに待たされても、みんなが彼女の歌を聴きたい。そこまで周囲を納得させられる孤高の天才なら、許されるのかもしれない。

わたしより上の世代の人、上司や先輩の編集者たちは、当時いっぱいいた、おもしろいものをつくるけどちょっと仕事しにくい人こそをアーティストとして認め、彼らに振り回されながらもいっしょに仕事すること、そして彼らに仕事相手として認められる自分を、どこか誇らしく思っているような印象があった。実際にそう公言するのを聞いたわけではないが、わたしにはそう見えた。

なんと大人だろうか、とは思いつつ、自分もそうなろうと思えなかったのは、なんとなくそれがフェアな関係に見えなかったからだ。

アーティストは特別扱いされるべき存在で、凡人や会社員は、彼らが苦手とする社会性の部分を補完する役を引き受けなくてはいけないのかと、まだ20代半ばだったわたしは、どこか釈然としない思いを抱えていた。

編集者という職業柄、多少そうした役割を担う部分はあるにせよ、アーティストだからコミュニケーションが取りにくい、もっとシンプルにいえば、「感じよくない」みたいな人が、苦手だった。仕事なんだから、お互い大人なんだから、できるだけ気持ちよくやりたいし、いい空気感のなかでいいものをつくりたい、ってずっと思っていた。

それに、仕事はしにくいけれど作品性が時代と合っていて人気がある人がいる一方で、「これだけちゃんとした人だからこそ、第一線で長く活躍しているのだなぁ」と納得させられる人だって、もちろんいた。

わたしが尊敬するクリエイターの人たちは、写真家でもスタイリストでもデザイナーでも、みんな後者だった。仕事がしやすいというだけでなく、相手の事情や周囲の意見もちゃんと尊重してくれる、ちゃんとしていてやさしい人がつくるものに心が動かされた。

今、活躍ぶりがまぶしく映る人たちは、ある分野の才能が秀でていることだけにあぐらをかいている人なんて、いない気がする。

インターネットとSNSのおかげで誰もがクリエイターになれるといわれる時代に、アーティストと凡人の区分けなんて、もはやない。一芸に秀でているくらいでは世のなかに刺激を与え続けられる存在にはならないし、しかも仕事しづらい人とわざわざ組もうだなんて気持ちの余裕がある人も、そうはいないだろう。

専門分野以外に、あれもできる、これもできる、そのうえで人としても感じよくて親しみやすくて、かつスター性もある……そんな人に人気が集中する。その象徴が、菅田将暉くんじゃないかと思うのだ。あ、でも実際会ったことはないから、感じが悪かったらどうしよう。めちゃくちゃショックだ。

とにかく、感じがいいという前提で話を進めると、彼みたいな人が国民的な人気者で、同世代から大人までしっかり評価を受けているのは、すごく真っ当なことで、清々しい。そういう真のスターこそが、世のなかを元気にするパワーを持っていると思う。

「今の若い人は車も欲しがらないし、酒も飲まないし、物欲もなくてつまらない」みたいなことを、中高年層の人が嘆くのをたまに聞くけれど、そうした評価の対象となっている若い人たちは、ただ賢くてまともなだけじゃないか、とわたしは思っている。

景気がいいというだけで世のなかが浮かれていた時代のことなんて知らないから、地に足をつけて、目の前にあるこの時代に大切なことは、という本質を見られるんじゃないだろうか。そうすると、ライフスタイルとか体質とか趣味とか価値観によって、車がいらない人も、お酒を飲まない人も、一定数はいるだろう。

わたしの20代は、今ほど景気が悪くはなかったが、バブルはもう弾けていたし、ベビーブームによる就職難で新卒の就職活動は惨敗だった。それは求人倍率とは関係なく、ただ自分に会社員の適性がなかったのだと今になってわかるが、いずれにせよ、それなりにしんどい思いで大学を卒業したのだった。

会社員からフリーランスになり、忙しく働いてそれなりに稼いだ時期を経て、今は郊外の慎ましい暮らしにしあわせを感じている。そのせいか、何歳か年上でバブル時代を「あのときはよかった」とまぶしく振り返る人より、今20代や30代で、古い価値観にとらわれない生き方や働き方を探求している人たちのほうが、感覚としてつながりやすいと感じるときがある。

最近仕事で出会う30歳前後のクリエイターの人たちは、クリエイティブでありながらコミュニケーション力も高く、真面目で浮わついてなくて、仕事がしやすい。社会性を備えたうえで、どれだけ面白いものがつくれるかということに挑戦している点で、クリエイターとしてのレベルは、昔よりも高度じゃないかとさえ思う。

そんな人たちと出会えるたびに、どこかで理不尽さを感じながら仕事をしていた自分の20代を振り返って、いい時代になったな、とかみしめるのだ。そしてそれは、昔はよかったと言いながら生きるより、ずっと楽しいことだと思う。

図書館で見つける強い本

ここ数年で、図書館にまめに通うようになった。

以前は、娘の通う小学校での読み聞かせ用の絵本を探すときや、娘の本を借りるとき以外、図書館はめったに利用してこなかった。つまり、自分が読む本を図書館で借りる、ということを積極的にはしてこなかったのだ。

それは意識と習慣によるもので、本をつくる仕事に就いてからというもの、自分が手がけた本を書店で買ってくれる人がいるのだから、自分も本を書店で買うべきだ、という考えがすっかり根づいていた。はっきり覚えていないけれど、おそらく就職したてのころの上司からの教えだったかもしれない。それが20年以上も習慣となっていたのである。

わたしが読む本は、純粋に読書欲がかきたてられて買い求める本と、仕事の資料として読む本とがある。資料のほうは古本をネットで探すことも多く、仕事が終わればまた古本屋さんに売ったり、今後また読み返すかもと思えるものは手元に残しておいたり。

２年前、家のリノベーションのために、これまでにないほど大量に蔵書を処分し、おかげで仕事部屋の本棚も納戸の本棚も、ずいぶんすっきりした。本棚に並ぶ背表紙を端から順に見ていくと、かなり厳選したはずの本のなかに、まだ読んでいない本もちらほら、いや、けっこうある。とくに納戸に造り付けた本棚には、児童書と絵本だけをまとめたのだが、もともと夫が持っていた本が大半を占めていて、わたし自身は読んでいないものも多い。それに自分の少女時代の愛読書であっても、大人になった今こそ再読したいものばかりで、そういう作品はたいていぶ厚いシリーズもの。いったい何か月、いや何年かければ、ここにあるすべての本を読破できるだろうかと、気が遠くなるくらいだ。実を言うと、生きている間にここにある本すべてを読み切れる自信が、ちょっとあやしかったりする。

それなら図書館へ行くよりまず、家の本棚にある未読の本から着手すればよいのだけれど、現実はそう単純には運ばない。今取りかかっている仕事で調べたいこと、タイムリーに興味が湧いているテーマや作家を探して読むのが優先となる。

そうした本を、これまでは書店でサクサクと買っていたのだけれど、図書館で借りてみることにした。なぜなら、わたしにとってはほとんど断捨離くらいの覚悟で本棚を整理したことで、大好きな本、いつかまたきっと読み返す本、未読だけれどぜったい読むぞ、という本がひと目でわかる棚がようやく実現したからである。今のところ、棚におさまらずに横にして隙間に無理やり差し込んでいる本はないし、本の前に本を置いてしまって奥のタイトルが見えない、なんてこともない。この棚の秩序をなるべく長く保ちたい。そのために、本の所有量はこの棚に収まるだけと決めよう、という気持ちが、わたしを図書館へと向かわせた。

正直なところ、最初のうちは、本や書店の売り上げに貢献していないことに罪悪感のようなものを感じた。でも一方で、「これは意外といいのかも」という発見もあった。

図書館で借りて読んで、深く感銘を受けた本は、わたしはやっぱり欲しくなる。そうやって買って、自分のものにした本は、もう簡単に手放さない。だから以前のように「サクッと買ってパッと手放す」といった本との付き合い方ではなく、購入前にレンタルしてじっくり見極めてから買い、その後は長く所有するという、新しいスタイルを手に入れたのである。

すると、自分が本をつくるときも、「図書館で借りて読んだとして、返した後にやっぱり買いたくなる本にするにはどうすればいいか」というリアルな視点が加わりはじめた。つまり、「１回読んだらおしまい」と「手元に置いておきたい」の違いはどこにあるのか。もちろんこれまでも、ずっと持っていたいと思ってもらえる本を目指してきたけれど、図書館で本を借りてみることで、その違いをより具体的に考えるようになった気がする。

もうひとつ、図書館のいいところは、蔵書のキーワード検索によって、新刊として書店の棚に差してあったときは見つけられなかった本にも出会えることだ。発売した日から、そう長い期間は平台に積んでもらえない、地味だけれど、読んでみるとなかなか味わいのある本。わたしの著書などはこちらの部類に入るのではと僭越ながら思っているのだが、「こんなにいい本が出てたんだ」とめくるのが楽しくなるものが、けっこうな頻度で見つかる。そして、図書館で借りた後に購入を決め、アマゾンや古本で探し直すのも、こうした本が多い。

わたしのところにも時おり、数年前に出版した本について「図書館で小川さんの本を借りて読みました」という読者の方からのメールが届くことがある。

書店で並べていただいていた時期からタイムラグがあるため、エッセイの内容に踏み込んだ具体的な感想を不意に読むと、こちらも新鮮な気持ちになる。本の発売日とは関係なく、自分がその本に目が留まって読みたいと思ったときが、本と出会うタイミングとしてはベストなのだということが、自ら図書館に通うようになって「なるほど、こういうことか」とよくわかった。

そう考えると、つくづく、息の長い作品をつくりたいなぁ。だって、「何年も前の本なのに、今の自分にぴったりの内容だった」と感じてもらえるのは、本として強い、って思うから。

防災は続くよ、どこまでも

史上最大級の台風が上陸するという予報にヒヤヒヤしながら、2019年10月、防災用品の大々的な見直しを行った。

ほんのひと月ほど前、千葉県の房総地方を中心に大規模な台風被害があり、県の北西部に位置するわが家は、幸いにも無事だった。でも、同じ県内に、自然災害によって家も生活もめちゃくちゃになってしまった人が大勢いるわけで、その被害の様子をニュースで見ながら、ほんの少し台風の進路が違っていたら、と背筋が凍る思いだった。

長期に渡る大規模停電で多くの方が困ったと伝えられていたのが、携帯電話の充電である。同じような事態がまた起こり得るため、「停電にはくれぐれも十分な備えを」と、テレビでもラジオでもさかんに警告していた。

スマホなら３回フル充電できるという携帯式のモバイルバッテリーを２台持っているものの、もしそれらの蓄電量が尽きる前に電気が復活しなかったら、太陽光発電に頼ることになる。

そこで、2016年の熊本地震を機に買ったソーラーパネル式充電器を久しぶりに出してきて、予行演習を行った。届いてすぐに、さわり程度に使い方を確認した後はしまいっぱなしだったその道具は、3枚のパネルを折りたたむとA4サイズより少し小さくなるコンパクトな製品で、値段は6千円ほど。

朝7時半、バッテリー残量12%のスマホを、USBケーブルでソーラーパネルにつなぎ、秋晴れの庭に出してみる。

途中何度かバッテリーチャージマークが動いていないこともあったが、3時間後に見たら、バッテリー量は80%になっていた。午前中は日差しも強かったのがよかったのだろう。パネルを太陽に向かって当てる角度にもコツがありそうだ。でもとにかく、電気が使えなくなったとしても、晴れさえすれば充電はできる。それを実証できたことで、不安は少し軽くなった。

子どものころは、地震のニュースを見ると、寝床のなかで「もしここにも起きたら」と想像して、どんどん怖くなり、眠れなくなった。

20代で1人暮らしをしていた時期も、テレビや雑誌の防災特集を見ると、ゾワゾワと怖くなってきて、すぐさま非常用バッグの点検に取りかかったものだ。そのバッグを玄関に置いていたし、それなりに慎重な性格で、防災の意識は人並みにあるつもりでいた。

それでも、2011年の東日本大震災以降、自然災害に対する不安と、それは近いうちに必ず起きるのだというリアリティが、ぐっと増したと感じている。実際、グラグラッとした揺れに、「きた!」と身構えることも、以前より増えた気がする。だから今は、もし最新の防災グッズに心が動いたならば、そのときはケチらない、後回しにしない、どんな買い物より優先すべし、という心構えでいる。

熊本地震のとき、自宅が倒壊して庭にテントを張って寝るしかない人々の様子をテレビで見ながら、アウトドアの趣味がないわが家にはテントも寝袋もないじゃないか、と青ざめた。そこで、この機会に一式そろえようと思い立ち、神保町へ出かけてアウトドアショップの店員さんにアドバイスを仰いだり、ネットで情報収集したり。リサーチの結果、テントと寝袋の他に、先に書いたソーラーパネル式バッテリーチャージャー、ヘッドライト、折りたたみ式の給水タンク、野外でも使えるガスボンベ式のカセットコンロとヒーター、お米も炊けるアルコール式の湯沸かしポット、川の水も濾過して飲めるという浄水器、非常用簡易トイレ、排泄物の凝固剤……などなど買い込んだら、総額は15万円を超えてしまった。

加えて、以前から用意していた防災用品ももちろんあり、水と非常食、懐中電灯、予備の乾電池、下着の着替えや防寒着、カイロやマスク、衛生用品、食器、ラップやガムテープやゴミ袋、トイレットペーパーにティッシュ……どれも停電や断水状態の自宅や避難所では必需品、といわれるものばかりなのに、家族３人分をそろえたら、単身引っ越しセットくらいの量になってしまった。

こうなると、命の危険が迫るなかで瞬間的に抱えて運び出せる量ではない。けれど、想像力をフル回転させながらつくった防災セットなのはたしかで、いざとなったら、このなかから最小限の避難セットを家族1人につきリュック1個分にまとめて、逃げるつもりでいる。

ちなみに非常食は、長期保存可能のアルファ米の雑炊やピラフを以前は買っていたのだけれど、見直しの結果、変えることにした。消費期限が近づいて、昼食などに置き換えて使いきろうとしても、普段インスタントの加工食品をあまり食べていないせいもあるのか、食べた後しばらく胃腸がどっしりもたれてしまう。

値段も高かったし、捨てるなんてもったいないという意識も当然あるけれど、非常時ではないときに備蓄した量をすべて食べきるのは、わが家ではむずかしいとわかった。代替品として、無印良品のフリーズドライ食品を1年おきに買い替えることにした。少量だから、小腹が空いたときのおやつ代わりに消費できるし、5年も保存がきく非常食と比べて、胃腸に負担がかかる感じもそれほど気にならない。これがベストかどうかはわからないけれど、とりあえず1年間の消費期限のたびに買い替えるのを、3年ほどくり返したところだ。

こんなふうに、防災用品の中身でも、とくに食品は、一度そろえればずっと安心とはいかなくて、細かなアップデートが必要になる。もちろん面倒だし、気も重い。それでもなんとか、毎年9月や3月のどちらかには、えいやっと腰を上げることにしている。

防災用品は、望まない事態に備えて少しでも安心を得るためにお金を使う点で、わたしのなかでは生命保険と似たような位置づけにある。けれど、病気やケガは自分の身に起こるのかどうか、またそれはいつのことなのかが未知数なのに対し、自然災害は必ず起こるし、少なくともその恐怖は毎年のように味わうという点が違う。

災害に向けて備えすぎるということはなくて、もし被害が予想より軽く済んだとしても、それで損することは何もないのだ。そう考えると、掛け捨ての保険ってなんだかなぁと、ちょっと本題からはズレたところで複雑な気持ちになったりして。いずれにしても、もしもの備えとは、なんと憂鬱で、けれども避けては通れないものなのだろうか。

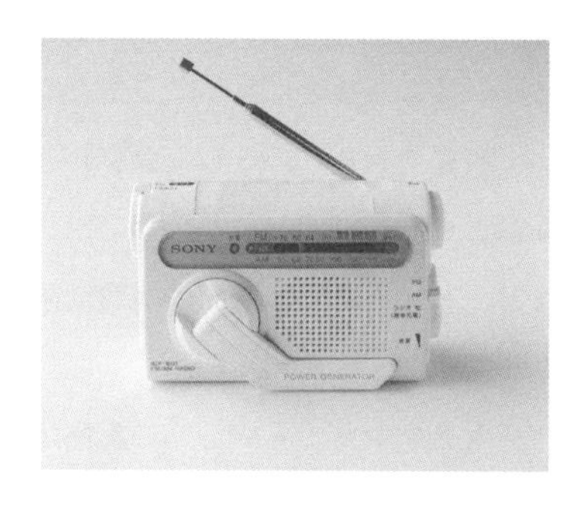

台所に置いている、手回し充電式の防災ラジオも、東日本大震災をきっかけに買ったもの。防災用品はなるべくしまいこまずに普段から使っておくほうが、いざというときに焦らない気がする。

第2章　手放す

おしゃれの優先順位

NHKの『あさイチ』で、「あなたが輝くクローゼット改革術」という特集を見た。すっかり感化され、ただいま持っている服とじっくり向き合っている最中である。

20代から30代まで、ファッション誌のエディターをしていたころに比べたら、今は服を買う頻度も、枚数も、あきらかに減っているし、服の整理も定期的に行っているつもり。それでも、このたびのクローゼット整理で、「もう手放していい」と選んだ服は、大きな段ボール2箱分もあった。それらを洗ってアイロンをかけて、古着として買い取ってもらう手配をしたら、クローゼットだけでなく、気持ちもずいぶんさっぱりした。

服の選別をしながら、ここ数年で、おしゃれや洋服に対する自分の価値観が、いつのまにか大きく変わっていたことに気づいた。

20代前半で出版社のファッション誌編集部に配属されたばかりのころ、セレクトショップのセールで買い物したことを同僚に話していたら、そばにいた上司からぴしゃりとこう言われた。「ファッション編集者なら、服はブランドの展示会で買うものよ。シーズン終わりのセールなんかで買い物しちゃダメ」。そのときのショックと、はずかしかった気持ちは今でも鮮明に覚えていて、「年2回、新しい服をいち早く買うことは、わたしの仕事の一部なんだ」と肝に銘じるようになった。以来、ファッションの仕事をしている間は、お付き合いのあるブランドの展示会で個人オーダーするのが、服を買うという行為だった。

そうした買い物の仕方に、だんだん居心地の悪さを感じはじめたのは、40代に入ったころ。郊外の古い家で、子育てと執筆を中心に地味に暮らしている身に、シーズンを先取りするおしゃれと買い物が、なんだかちぐはぐに思えてきた。

ファッション編集者は、最新情報を発信する立場だから、どこに住んでいようと、それを仕事としてやる意味がある。でもわたしの場合、仕事内容がファッションや雑誌以外の領域にしだいに移っていった。展示会を回って半年先に売り出される服を見て、それを予約して関係者割引の価格で購入することに、「いったい何のために？」という自分へのクエスチョンと、後ろめたさのような感情が、少しずつふくらみはじめた。もちろん、古いつながりがある好きなブランドの服であれば、ファンである気持ちや応援もこめて買い物して、ブログやSNSでそのお知らせをするのもいい。でも、そうしたことをするときの、仕事と好意の境界線って、すごくあいまいだ。定価で手に入れたうえで、これはいいと思ったものを人に勧めるのが、本当の意味での「おすすめ」じゃないのか。

毎回割引価格で買わせてもらっているものを、ファッションのプロの立場でもないのに、「これいいよ」なんて言うのは、自分がやるべきことからズレているんじゃないか。そんなことを考えながら悶々とする数年を送った。

その結果、毎シーズン律儀にダイレクトメールを送ってくださるアパレルの方には本当に申し訳ないと思いながらも、展示会へ行くことを定例化するのはやめた。今では、服は欲しいときに、オンラインも含めたショップで、一般向けの価格で買っている。チェックするブランドやサイトはいくつかあり、顧客メールで新入荷やフェアのお知らせはいただくけれど、いずれも個人的に付き合いがあるわけではない。だから、行きたければ行くし、行かなくても何の言い訳も必要ない。すごく気楽だ。

こうした買い物スタイルの変化について、たぶんこれでよかったんだ、と思えたのは、このたびのクローゼット整理で手放すことにした服のほとんどが、かつて展示会でお付き合いで買ったものだったからだ。もちろんどれも気に入って買ったもので、実際に愛用もしていたのだけれど、なんだろう、きっとそれらの服たちは、究極的には、自ら選び取ったものではなかったのかもしれない。

おそらく、お付き合いで服を買うことができるのは、いや、それ自体はできても、そうやってある意味、受け身で手に入れたものを、自分のための服として解釈しながら着こなすことができるのは、40代前半までじゃないだろうか。40代半ば以降の服選びは、うわさ通り、とてもむずかしい。体重は変わらなくても、体のシルエットが変わってくる。2、３年前まで気に入って着ていた服が、突然もっさりして見えるのは、そんな輪郭の変化のせいなのだろう。

また、『あさイチ』でスタイリストさんも言っていたが、年齢を重ねるにつれて、おしゃれにおいて最も優先すべきポイントは「清潔感」である。たしかに、肉体が古びてくるのだから、そのうえに着古した服を着て輝くのは、かなりむずかしい。わたしはファッションの仕事をしていたころからずっと、流行を追うよりはブランドが定番でつくりつづけているようなアイテムを長く大切に着るのが好きで、それが自分らしいおしゃれだと信じてもいた。しかし、どんなにていねいに扱っているつもりでも、年数を経ればやっぱりそのぶん服はくたびれる。それを「味」と愛でるのは、実は自己満足の部分が大きいのだ。その満足感は、おしゃれにおいて大事だし、必要なものでもあるけれど、他人から見たときの印象においてはリスクも伴うことが、だんだんわかってきた。

たとえば、娘の中学校へ足を運ぶようなときに着る服も、毎回悩む。そこでは、おしゃれで目立つ必要などまったくない。かといって、地味で無難なだけでは、せっかく多くの人と触れ合う機会だというのに、自分のテンションが上がらない。その場や相手や周囲に対して失礼がなく、ちゃんと常識をわきまえた人に見えて、それでいて自らの気分も満たされるおしゃれとは、どんなものだろう？　きっと社会的な責任を負う立場にいたら、もっと早くにぶつかっているであろうこうした悩みを、この年まで持たずに生きてこられたことにも、苦笑いしてしまうのだけれど。

そんなわけで、これまで幾度もの整理をくぐり抜けてきた、大好きな、でもそういえばここ数年は手が伸びなくなっていたベーシックアイテムたちを、清潔感の観点から思いきって手放すことにした。生地の性質上、毛玉などが出てしまった服は、夫に見せて判断を仰ぎ、「ちょっとみすぼらしいかな」と言われたものは、思いきってサヨナラ箱へ入れる。カシミヤやシルクなど、自分にとっては値が張った服ももちろんある。でも、高価な服ほど輝いて見えるかといえば、おしゃれはそんなに単純じゃない。服の値段など知らない人から見て、それを着ている自分が素敵に見えなければ、役割を果たしていることにはならないのだ。

クローゼットはだいぶさっぱりしたけれど、コロナ禍で行動範囲が限られている今は、これで十分だ。その後また、自由に街へ出て人と会える生活になったら、新たな目で服を選び直すとしよう。

靴の整理というドラマ

最近、下駄箱からわたしの靴が、１足、また１足となくなっていることに、家のなかの変化にはあまり敏感ではない夫もさすがに気づいて、「靴、いったいどうなっちゃうの？」と聞いてきた。

そう、ただいま自分の靴を、少しずつ処分しているのである。といっても、１足も捨ててはいない。きれいに手入れをして、メルカリに出品すると、ちゃんと引き継ぎ手が見つかり、気持ちよく旅立っていってくれる。

いわゆる「靴好き」と呼ばれる人種でもないから、もともと家の下駄箱に入る以上の数は持たないことに決めている。これまでも新陳代謝をくり返してきたし、いま所有している靴だって、すべて現役で気に入っているものばかりだ。でも、どんなにその靴のモノとしてのたたずまいが好きだとしても、気づけば３年も履いていない、なんて靴が、下駄箱を開けて精査すると、見つかるのである。というか、普段の行動を振り返ってみれば、自粛生活で行動範囲が限られているせいもあるけれど、よく履いている靴なんて、実は２、３足なのだ。だからといっていきなり靴を３足にしぼろうとまでは現時点では考えていないけれど、この先、自粛生活が明けたところで、これまで何年も履いていなかった靴をまた履くようになるだろうか。そう自問して、「NO」という声が自分のなかから聞こえたら、手放す準備をする。

幸い、メルカリで購入してくれた相手の多くは、品物の受け取り後にそれぞれ喜びのメッセージをくれるので、未練も寂しさも後悔もない。むしろ、「大切に使わせていただきます」というコメントが届くたび、あぁよかった、きっと正しいことをしたのだ、という気持ちになれる。

クローゼットの整理をしていると、自覚していない今の気分に気づかされることがあって、どうやらわたしは、「軽く、軽く」という方向へ気持ちが向いているらしいのだ。

どんなにデザインが好きで、値が張ったものだとしても、ほんのちょっとでも「重たい」と感じた記憶があるものについては、今なら迷いなく手放せる。また、実際の重量に加えて、見た目にゴロッと重そうなものより、シュッとしていたりサラッとしていたり、なるべく軽やかな印象のほうを選びたい、ということもわかってきた。

たとえば先日も、黒いニューバランスのスニーカーを手放し、代わりに白のスタンスミスを買った。単にモノを減らしたい断捨離ではないので、手放すばかりではなく、新しく買うものもある。

その黒いニューバランス、買ったときはスニーカーというカテゴリーにもかかわらず、たしか税込３万円もしたし、靴だけ見れば、とってもカッコよかった。がしかし、わたしが履くと、なんとなく足元がゴロンと見えるのがだんだん気になってきてしまい、最近すっかり履かなくなっていた。それをメルカリに出品してみたらすぐに売れたので、その売り上げとほぼ同じ金額の新品のスタンスミスを買ってみたところ、「そうそう、求めていたのはこの感じだったのよ」という足元になった。

ニューバランスとスタンスミス、購入価格には約３倍の開きがあったが、今のわたしには、白いスタンスミスのほうがいい。うれしくて、最近は出かけるとなると、ついこのスタンスミスを中心にコーディネートを考えてしまう。スタンスミスは、約20年前も大流行していて、20代だったわたしもブームに乗ってよく履いていた。でも、なんだか今のほうがしっくりくるし、この靴の魅力がわかる。実は大人のスニーカーだったのかも、と思うと、再び自分の下駄箱に並んでくれている姿が、また感慨深い。

ヒールが４センチ以上ある靴は、今後ファッションとして履くことはほぼないだろうと思っていて、ブラックフォーマル用の１足だけは残し、他はじっくり吟味しながら処分している途中だ。トレンドやコーディネートのバランス的には、ヒールのほうがきまるという日はもちろんあるけれど、今のところ、自分のおしゃれにはもはや細くて高いヒールの靴は存在しないもの、として生きている。

その方針が決まったのは、東日本大震災だった。あの日、わたしは仕事で渋谷に出かけていて、電車が早々に止まってしまったことから千葉の自宅に帰れなくなり、駅前のホテルのロビーで夜を明かすことになってしまった。つまり、帰宅難民経験者である。翌朝、地下鉄の銀座線が動きはじめたので、それに乗って上野までは行けたが、JR上野駅周辺が大混雑で、駅の構内に入れるのでさえ、いったい何時間かかるだろうか、という状態だった。そのとき、JRを使わない帰宅ルートを思い立ち、上野から押上まで4キロの道のりを1人でテクテクと歩いた。その日履いていたのは、足によくなじんだフラットな革靴で、この靴なら1時間でも2時間でも歩ける、と思える靴だった。その判断と行動によって、上野駅の混雑を前に途方に暮れた瞬間から、およそ2時間後には、自宅で家族と会えていた。あの日に履いていたのが、長時間歩くのはキツイと感じてしまう靴だったら、まったく違う展開になっていただろう。だからあの日を境に、わたしの靴選びの基準は「出先で地震に遭っても歩いて帰れる靴」になったのだ。

先日読んだ大人のおしゃれの本に、「靴はその日の行動を決めるから、コーディネートはまず靴を選ぶことからスタートする」と提案されていて、ハッとした。本当にそうなのだ。靴は、行動を決める。そして行動の積み重ねは、生き方へとつながっていく。大げさかもしれないけれど、わたしは真面目にそう考えている。

だから靴の整理には、服よりも時間がかかる。1足、1足、手に持って眺めたり、磨いてみたり、これから着たい服と合わせてみたり、この先の自分の仕事や生活をイメージしてみたり。

その結果、「やっぱり、もっと頻繁に履いてもらえる人のところへいったほうがいいね」と思った靴を、欲しいと申し出てくれた人の元へ送り出す。その一連のプロセスを経て、納得のいくお別れができる。

他のどんなものを整理するより、靴の整理にドラマを感じてしまうのは、こういうわけなのだ。

キャンバスのスニーカーはカジュアルすぎる、ハイテクスニーカーは似合わない、とふるいにかけていったら、最後まで残るのがスタンスミス。誰かが履いているのを見ても、「やっぱりいいな」と思う。

10年ぶりの禁酒

「日曜の晩酌をやめてみたら」(P.16) という文章を書いた1年後、禁酒することにした。

健康上の理由からではないし、4か月間という短期限定だけど、週末のお楽しみとして飲むのもやめると決めた。完全に飲まないのは、およそ10年ぶりである。

実は、娘の中学受験の勉強がはじまった4年生の夏からの2年間で、これまでも何度か「もう飲むの、やめようかな」と夫に相談していた。

6年生になってからは、週末も塾の授業や講習があり、そのお迎えで夜に車を運転するため、夫婦いっしょに飲める日はめったにない。「今日はわたしが行くから、飲んでいいよ」「昨日行ってもらったから、今日は僕が行くし、飲みなよ」と、酒好きな夫婦が、お互い譲り合いの精神で半年以上やってきたのだけど、「じゃあご好意に甘えて。すみませんねぇ」と言いながら飲むお酒は、2人でゆるりと語り合いながら飲むほどには、楽しくもおいしくもないのである。まぁ、当たり前だけど。

いよいよ受験が近づき、最近は、夕飯を食べてもすぐまた勉強に戻らなければいけない娘と、それに伴走する母という状況が切羽詰まってきた。そうなると、週末のたびに、「お酒を飲みたいな」「飲もうかな」「いや、やめとこうかな」という迷いが生じること自体、だんだんわずらわしくなってきた。「いっそ飲まないって決めちゃったほうがラクかもしれない」と思ったのが、ちょうど10月はじめの日。受験終了まであと4か月という切りのよさもあって、家族に「今日から受験が終わるまで飲みません宣言」をしたというわけだ。

以前から夫には迷いを伝えていたにもかかわらず、踏み切れなかったのは、「息抜きまでやめたら、きっとストレスがたまって爆発しちゃうよ」と彼が渋い表情だったからだ。もちろん心配や思いやりの気持ちもあるだろうけど、わたしが爆発すると、家事はまわらず、家庭内の空気も最悪となり、大変なことになる。その影響をもろに受けることになる夫は、なるべくリスクを避けたかったのだろう。

それに、健康上の理由でもないのに、わたしが禁酒をするとなると、夫まで飲みにくくなって居心地の悪い思いをするかもしれない。そうすれば、家のなかの雰囲気もどこかよそよそしくなるのかな、という点は少し心配だった。

でも、入試スタートまで残り100日あまりとなった今月、相変わらず本気モードにもうひとつギアが入らない娘に喝を入れようと、「ママは決めたわ。もう受験が終わるまでお酒は飲まない。今日からは、ママ自身も受験生として勉強する。だからいっしょにがんばろうよ」と言ったら、娘の表情が変わった（ような気がした）。母親の強い覚悟が、わかりやすい形で伝わったのかもしれない（と願いたい）。

実際は、覚悟というほど立派なものでもなくて、「やっぱり決めちゃったほうがラクだ」と思ったのがすべてだけど、同学年の子たちとくらべても精神年齢が幼い、だから中学受験にこんなに苦労するわが子にとって、「身近な人が大好きなものを我慢してまで受験に挑む姿」を見ること、しかもそれは自分を応援する姿勢の表明であることは、それなりの効果を生んでいるように思う。

とりあえず、まだ数日間の観察でしかないけれど、勉強や生活の態度は以前より素直に、また前向きにもなった。あとは、その影響が成績に表れてくれさえすれば、こちらが決意した甲斐もあるというものだけれど。

先日、同じく中学受験生の子を持つママ友と話していて、いま禁酒してるんだ、と話したら、「うわー、無理。その楽しみまで奪われたら、こんなつらすぎる日々を最後まで乗り切れない」と相手は悲痛な声を上げた。

そういう彼女も、毎晩車で塾にお迎えに行っているから、その後に夕食や家事をしながらビールを飲み、しんどい毎日を乗り切るガソリンにしているのだろう。でも、彼女の娘さんは、わが子と違って自主的に勉強してくれるそうだし、親は静かにして環境だけ整えてあげればいいらしい。うらやましいかぎりだけれど、でもそれはそれで神経を使うし、勉強が終わるのを待っている間に飲みたくもなるよね。いやもう、よくわかる。

わたしも、お酒を飲んで息抜きはしたいのだ。けれど、受験本番が迫る今の状況では、お酒を飲むことが息抜きにならない。ビール１缶でも、飲むとやっぱり眠くなりやすく、娘の勉強を見るのも、自分で解いてみるのも、急にしんどくなる。それが体でわかっているから、やめられたのだと思う。

平日も週末もなく、完全に飲むのをやめてみると、あきらかに眠りの質がよくなり、朝の目覚めがシャキッとして、体も軽い。飲まないメリットは思っている以上に大きいことが、実際にやめてみるとわかる。また、自分はお酒が大好きなのに、きっかけひとつであっさりやめられたことについても、密かに満足している。お酒はリラックスして飲むからおいしいのであって、惰性とか習慣から、または後ろめたい気持ちを抱えながら飲んでも、あまりいいことはないような気がしていたから。

実際、禁酒宣言前まで、週末に夫と交替で飲んでいたお酒は、そのおいしさをちゃんと味わえていなかった気もする。そう思うと、今まさに夫が遠慮しながら飲んでいる様子が少し気の毒に思えるのだけれど、ほんの数か月間のことだからさ、となだめて納得してもらっている。

すると今度は別の友人に、「自分は飲まなくて夫が飲んでいることに腹が立たないのか」と聞かれた。

正直、うらやましいと思うときもあるけど、わたしほど娘の受験を自分ごととして生活しているわけではない夫を道連れにしても、あまりいいことはない気がするのだ。先ほどのママ友のように、子どもの勉強を少し離れたところで見守るのも、それなりにしんどい。夫には、適度にお酒を飲んで、なるべく機嫌よくいてもらったほうが、全体で見たときに好都合である。

来年２月、受験が終わった記念に禁酒を解く、その日に家族で乾杯するお酒は、きっとおいしいだろうな。それまでは、飲まず、ゆるまず、冴えた頭で、娘とともにがんばるぞ。

追記：結果的に、１月下旬に娘が第一志望校に合格したことで、わが家の受験は終了し、わたしも禁酒を解いた。しばらくはお祝いモードで平日に飲む日もあったものの、自然にまた週末だけ飲むリズムに戻った。今のところ心身にとっていちばん気持ちがいいのは、やっぱりそのバランスらしい。

メルカリへの感謝状

近ごろ周囲にアツく語っていること、それは、メルカリがいかにすばらしいかという件である。

コロナによる自粛生活がはじまったばかりのころ、あるウェブマガジンから、「おうち時間が増えたことで、片づけや断捨離に関する記事が人気なので、そうした内容のコラムを」と依頼をいただき、「メルカリで断捨離」というテーマの記事を書いた。とても反響があったらしい。

おかげで、その記事をネットで読んだという、ある情報番組のディレクターから「メルカリ使いこなし術を特集するコーナーを番組で企画しているので、達人として出演してもらえませんか」などと信じられないオファーまで舞い込んだ。わが家でも毎朝観ている番組で、娘は大喜びしたが、電話で事前取材を受け、わたしの話は具体的なテクニック面より、精神的な気持ちよさに偏っていることから、忙しい朝の短いコーナー向けではないということでお互い合意して、見送りとなったのだけれども。そりゃそうだ。先方は、何曜日の何時ごろに出品すると売れやすいとか、そうした実践に直接役立つテクニック理論が知りたかったようだから。

　さて、そんな「感覚的な気持ちよさ」にだいぶ寄っている、わがメルカリ道。でも、その気持ちよさがいちばん大切じゃないか？と思っている。

　そう、メルカリは気持ちいいのだ。自分のところで役目を終えたものが、今欲しいと思ってくれている人にちゃんと届いた、という感覚が。

　過去にも、うつわの買取りを古美術商や大手チェーン系リサイクルショップに頼んだり、服はブランド古着ショップに宅配便で送って査定してもらったり、愛用品のリサイクル法についてはいろいろ試みてきた。が、取引後の満足度においては、なんといってもメルカリがダントツである。

　その満足度の高さはどこからくるのか、あらためて考えてみると、「人と人が心を通わせながら、モノを引き継いでいるという手応え」だと思う。

　実際は、出品も発送も匿名で行えるため、売る側も買う側も、取引する相手がどこの誰かは見えない。

　でも、出品説明文や、質問や購入時の文章、品物を受け取ったときのお礼のコメントの言葉遣いなど、短い文章にも人柄は思っている以上に出るものである。「この人からなら買いたいな」とか、「いい人に買ってもらえてよかった」といった感情は、対面のフリーマーケットと変わらない。

　むしろ、対面フリマと違って即断しなくていいのが、またありがたい。

数日間、ときには数週間も悩んで、やっと決心して手に入れることもできるし、出品する側も、荷づくりして公園まで運んで、限られた時間のなかで最後は叩き売り、みたいなことをしなくていい。売るのも買うのも悩むのも、すべては家のなかでできる。

わたしは、出品側としてメルカリを利用することが多い。これまでも断捨離は何度も行ってきたから、持っていることも忘れていたような、自分にとってのあきらかな不用品はもうなくて、熟考の末、「この子のことは大好きだけど、もっとたくさん出番を与えてもらえる人の元へ旅立ったほうがしあわせだろう」と別れを決断するものばかりだ。つまり、現在進行形で愛着のあるモノたちである。

こんなことがあった。一時期愛用していたブランドのバッグで、でも気づけば5年は使っていないかも？という品を、クロゼットのすみっこに見つけた。

それまでメルカリに出品していたのは古いうつわが多く、ファッションアイテムは売ったことがなかった。ファッション誌の仕事をしていたこともあり、なんとなく気が引けていたのだ。その遠慮が、何に対してのどういう感情なのか、はっきりと説明することはむずかしいのだけれど。

で、そのバッグ。人気のある海外ブランドのため、ブランド買取り業者も喜んで引き受けてくれるはずの品だった。そこで、まずは業者に査定をしてもらおうと、ネットの口コミで評判のよいところに申し込んだ。

初めての相手だったが、中部地方の会社のため、先方が負担する送料のことも考えると、よほどのことがないかぎり、送ったまま買取り手続きまで進むつもりでいた。

ところが、提示された査定額は1500円。バッグの定価は十万円越えで、年数と状態から、できれば２万円、でも１万円ならヨシとするかな、などと考えていたため、一瞬冗談か、いや１ケタ数え間違えたか、とメールを読む目を疑った。

査定理由として添えられている説明は「古いコレクションのため」。もちろんそれはそうですけど、いくら自分はもう使わないといっても、このバッグの価値はそこまで低くないはず！と怒りすらこみあげてきた。もちろん、その怒りを相手にぶつけるなんてことはお門違いだと重々承知しているので、交渉はせず、「査定額に納得いかなければ返品は無料」というルールに則って、他に送った服などもすべて引き上げさせてもらった。

こうして、関東地方と中部地方をただ往復しただけの不憫なファッションアイテムを、メルカリに出してみることにしたのである。もともと愛着があるため、出品説明にも気合が入る。というか、ここまで好きなら手放さなくていいんじゃないかとすら思えてくる。

そんな逡巡とともに、せめてこれくらいでしょ！と、件のバッグを１万８千円で出品したら、「いいね」がトントントン、とつき、３日後にはあっさりその価格で売れた。しかも、品物を受け取った相手から「と

メルカリで売れた商品を発送するときは、段ボールや封筒もなるべくリサイクル材を使う。だから通販の買い物の梱包材もていねいに開封して再利用する習慣が身についたし、結果的に資源ごみに出す紙類も減る。モノのやりとりだけでなく、こうして周辺の行動ひとつひとつによい変化が生まれるところも魅力だ。

てもいい状態で、このお値段で手に入れられてうれしいです。大切にします」と、うれしすぎるコメントまでいただいたのである。

これこれ、これですよ。大切なものを手放しても、それを引き継いで喜んでくれる人がちゃんといて、お互いに「よかった」と心があったかくなる感じ。

これは単に、1500円と査定されたものが１万８千円で売れたからラッキー、という話ではない。１対１の誠実で納得のいく引き継ぎ作業が、メルカリを通じて行えたことを喜ぶエピソードである。

わたしの勧めでメルカリをはじめた人たちは、「メルカリって、買う側よりも売る側を経験したときによさがわかる」と口をそろえて言う。

たしかにそうだ。いくらモノを減らして家をスッキリさせたいといっても、選別しながらポイポイとゴミ袋に放り込んで、それらを回収日に出せばおしまい、というわけにはもういかない。10年前のベストセラーの断捨離本にはそうしましょうと書いてあったかもしれないが、今は、ゴミをいかに出さずに暮らすか、地球上の誰もが真剣に考えて具体的な行動をしなくてはいけない時代なのだ。

その意識を持ちながら、モノを手放していく作業をするとき、メルカリは心強い味方になってくれる。ためしに、「これはさすがにどこにどう売ればいいかわからないから捨てるしかないかな」というものを出品してみると、よくわかる。

たとえばわたしの場合、買い置きのインクカートリッジが２本、プリンターの買い替えによって不要になってしまったことがある。外箱はすでに処分しており、手のひらに乗る小さなインクは、ゴミとして出すのがとくにむずかしいわけではなかった。でも、中身は新品なのである。

そこでメルカリに出品してみたところ、たしか１か月くらいは動かなかったが、結局ちゃんと売れた。アマゾンで１本800円ほどしたものを、２本で500円と値付けして出したと思う。メルカリに差し引かれる10%の手数料と送料を引いたら、売り上げは300円にも満たないが、メルカリを使うことで、ゴミになりそうだったものが、必要な人のもとへちゃんと渡った。その事実が重要で、それこそがメルカリにわたしが感じているいちばんの価値でもある。

つまり、儲けることを第一目的にしないことが、メルカリの魅力を味わうコツかもしれない。とはいっても、出品を続けていけば売り上げは少しずつでもたまっていく。わたしはその売り上げで、今の自分にとって必要なものを買っている。それをくり返すことで、「今持っているものはすべて使っている」という理想の状態に近づけていきたい。

自分の身辺は片づき、欲しいものを安く手に入れたいと探している人に喜んでもらえて、ゴミは出ない。この素晴らしき循環をかなえてくれたメルカリのシステムに、わたしから感謝状を差し上げたい。

ゆっくりとさよならをする人

古い木造家屋に暮らして10年。2020年の梅雨はうんざりするほど長く、わが家は過去最大のカビ被害に見舞われてしまった。なかでも被害が甚大だったのが、夫のレコードだ。古いものをこよなく愛するわが夫は、今も音楽は配信ではなく、レコードやカセットテープを買って聴く人である。

レコードは、リビングに造り付けたレコード専用棚と、そこに入りきらないぶんは縁側の物入れのエレクターラックにきれいに並べていて、こまめに収納の扉を開けたり、除湿剤を置いたりして、日ごろから湿気には気をつけている様子だった。

しかし、そんな努力もむなしく、梅雨がようやく明けた8月初旬、大切なレコードたちはかなり痛々しい状態となって棚から出てきた。

とくに、床に近い場所にしまっていたレコードと、ジャケットが粗めの紙質のもの、ラップのようなシールで覆われていなかったものは、たっぷり湿気を含んでしまい、外側にも内側にもカビが生えやすかったようだ。挟まれていた歌詞カードや、レコードの盤面についたホコリや指紋にまでカビが発生するという異常事態に直面した夫の、嘆きとため息が一日じゅう聞こえてくる。それが、庭で元気に鳴き出したセミの声と対照的で、気の毒さがいっそう増す。

それから１か月半という時間をかけて、夫はしょんぼりと肩を落としながら、縁側や図書室、２階の洗面所など、毎日の生活で比較的利用が少ないありとあらゆる場所をレコードの虫干し場として占拠した。そしてくる日もくる日も、ダメージを負ったレコードたちの手入れを続けた。

わたしと暮らしはじめてから、彼は14年間で３回の引っ越しをしていて、そのたびにレコードの整理をしてきた。今の家に越してきたときも、レコードが収納に収まりきらないといって、１か月以上も縁側に段ボールが何箱も置きっぱなしだった。だんだんそれが当たり前の風景として目が慣れてきてしまったのか、本人が片づけに動く様子がいっこうに見られない。そのことに、ただでさえ引っ越し疲れで機嫌の悪いわたしが「いい加減にコレ片づけてよ！」とブッチリとキレた記憶もある。そのときも同じように肩を落としてレコード整理をしていたし、しばらく後、何箱もの段ボールが下取り先の中古レコード店へと送られていった風景もはっきり憶えている。それなのに、あぁ、それなのに！　この夏、夫が作業しているのを端から見ていたら、彼の趣味の範疇である国内外のロック、パンク、フォークやブルース以外に、「いったい、どういう機会にこれを聴くつもりで今まで残してたんだ？」とツッコミたくなる、昭和マニアならば価値がわかるのかもしれない、言い換えるとわたしにはさっぱり価値がわからない珍品が、あるわ、あるわ、あるわ。もう呆れるのを通り越して、この人の「これは持っておこう」という所有の基準っていったいどこにあるんだろうかと、パートナーに潜む深い謎に触れた気分だった。

しかし結局のところ、夫はそうしたキワモノ的コレクションも含めて全体の７割以上を、とうとう手放すことに決めたらしい。一応断っておくと、わたしは今回キレていないし、手放せと脅してもいない。彼が自分で決めたのだ。理由を聞くと、「もうカビに怯えながら所有しているのがつくづくイヤになった」とのこと。

そんな矢先、知人のお店に出かけたら、「よかったら使ってください」という貼り紙の下に、店主の愛用のカゴがいくつも放出されていた。

こちらにも理由を問うてみると、偶然にも夫とまったく同じ答えが返ってきた。彼女も、梅雨がくるたびに、大切なカゴたちにカビが生えやしないかとビクビクすることに、もう疲れたと言う。

夫を見ていると、こういうことでも起きないと、手放せなかったのだろうなと感じる。「手放したくない」という執着心と、「管理に苦労する」という心身の負担を両天秤にかけて、ようやく決心がついたのだ。

そんな夫とは対照的に、わたしはモノを所有することそのものには、あまり執着がない。

むしろ所有する量が多すぎて、持っていることを忘れてしまっていた、なんてことが起きると、もう少し減らさなきゃ、と焦る。おそらく、「これが好き」とか「これは大切」と愛情を注げる幅が狭いのかもしれない。持っているものは全部大切にしたいから、大切なものをしまいこむという行為は、わたしにとってはむしろ禁忌といっていい。だから、夫のように、しまいこんでいたモノを手放すのでさえ、それほどまでつらいと感じる人の気持ちは、ちょっとよくわからない。

それでも、彼を見ながら思ったのは、かかる時間はそれぞれでも、やっぱり人は最終的には「気持ちいいほう」へと向かうんだな、ということだった。「気持ちいいほう」は、「身軽なほう」と言い換えてもいいのかもしれない。断捨離というと、言葉の印象によって、感情に蓋をし、短時間に潔く決断しながら捨てていくイメージがある。でも、時間をかけてだんだんと、重いほうから軽いほうへ、導かれるようにしてモノを手放していく道もあるのだ。そうはいっても夫の14年は時間がかかりすぎではあるが。

ところで、レコードがらみで最近興味深いニュースを聞いた。アメリカで、レコードの売り上げがとうとうCDを抜き、そうした現象は1980年代以降、初めてだという。

でもこれ、2020年音楽業界の上半期売り上げの、実に85%以上が配信によるものだったという記事からわかるように、レコードが売れているというより、CDの売り上げが激減したという話なのだ。わたしはこのニュースを、車のなかでいつも聴いているラジオで知ったのだが、記事を読み上げた番組のパーソナリティーが「これって、車でいえばクラシックカーの売り上げが新車を抜いちゃうくらいのすごい話。つまり現行品のCDが、レコードという懐古趣味の品に負けちゃってるってことだよね」と話していて、「なるほど、わかりやすい例えだなぁ」と感心した。

本の世界でも同じことが起こるのは、もう時間の問題だろうか。いつでもどこでもすぐ買えて読める電子書籍と、物体として美しく、所有する喜びをもたらしてくれる紙の本。その二極化が進むなかで、電子書籍のみの販売形態も増えていくかもしれない。

でも、きっとそれも、人々がもっと気持ちいいほうへ、軽やかなほうへと導かれるなかで起こることなのだ。嘆き、ため息をつき、肩を落とすばかりではなくて、それをシンプルに受け止め、その先に自分ができることを考えていきたい。

ブログの毎日更新をやめた理由

　ある日、わたしのブログの長年の読者だという方から、メールが届いた。
「初めてメールします」という書き出しの、匿名のメールの用件は、その時期、わたしがブログに新刊発売のおしらせを連日投稿していたことへのクレームだった。そんな、苦い思い出からはじまる話である。
「小川さんのブログを、何年間も毎日読んでいますが、本は1冊も持っていません。わたしが読みたいのは、小川さんの子育てや暮らしの様子が綴られたブログであって、本には興味がありません。だから、本の宣伝にブログが使われることにはがっかりします」。
　読んだ後、しばらく頭のなかが真っ白になった。
　一応こちらとしては、宣伝ばかりでシラけた気持ちになってほしくないと、また、新しい本をいろんな角度から楽しんでほしいと、内容を工夫していたつもりだったのだ。今日は装丁の話、今日はいっしょに本をつくってくれたスタッフとのエピソード、今日はデザインや構成でこだわった点の解説、というように、毎回趣向を変えた読みものに仕立てていた。　ブログは、SNSのように勝手に流れてくるものではなく、読みたいと思った人がわざわざサイトを訪れて読むものだ。わたしのブログを読みにきてくれる人は、わたしの本の完成と発売も喜んでくれるはず、と信じ込んでいた。

ところが、その読者の方は、毎日ブログにアクセスするたびに「また新刊の話か、もううんざり」という気持ちだったらしく、わたしに対して腹立たしく思う勢いのまま送ってきた、そんなテンションのメールだった。

読者からの批判的なメールで、それほど強いショックを受けた経験は他になく、その瞬間は、慌ただしい日々のなか、毎日がんばってブログを書き続けてきたことに「はたしてこれでよかったのか」と後悔を抱きそうになった。

わたしが物書きという職業を名乗れるのは、本や雑誌で原稿を書き、それに対して報酬をいただけるからだ。ブログの延長に、わたしの本来やるべき仕事がある。だから仕事のおしらせを、自分が運営するサイトのブログで行い、本を手に取ってくださる方を増やしたいと願うのは、至極まっとうなことではないか。

そうした考えと姿勢をできるだけ誠意を込めて書いた返信を送ると、読者の方からは一応謝罪というか、「ちょっと感情的だったかもしれません」と書かれたメールが返ってきた。でも、最初に届いた文面を読んだときの鋭い痛みのような感覚が、指先の皮膚に刺さって抜けない小さなトゲみたいに、いつまでもわたしの胸のすみっこに残った。

まるで不運な事故に遭ったみたいだ、というのが当時の正直な思いだった。落ち込んだし、腹も立った。けれどしばらくすると、もう少し俯瞰して考えられるようになった。そして今では、あのとき味わった苦い思いが、わたしの人生を少し動かしてくれたのかもしれない、と思っている。

まず、仕事とブログを区別しているのはわたし側の問題であって、読者の方にはそんなことは関係なく、どれもわたしが書く記事だ。

また、クレーム主の方は、もともとはブログを楽しみに読んでくれていた、ありがたい存在である。「もうこの人のブログはつまらない」と思ったなら、読むのをやめればいいだけなのを、わざわざ意見を送ってきてくれたのだ。ならば、「わたしの個人ブログなんだから何を書いても自由」と開き直って突っぱねるのは、読者の存在を見据えながら書いている以上、ちょっと傲慢なのではないか。それに、もしかしたらこの出来事に潜んでいるかもしれない何か大事なヒントを、見過ごしてしまうかもしれない。

胸に手を当てながらよくよく考えてみれば、「ブログを毎日更新する」というルーティンに、当時の自分がスケジュール的にもモチベーション的にも、だんだんしんどさを感じはじめていたのは事実だった。

わたしのブログの習慣がスタートしたのは、2010年の夏。キッズ雑誌のウェブサイトに、子育てブログを書かないかと誘われたのがきっかけだった。

すでに育児日記を綴っているブロガーさんが、モデルさんをはじめ大勢いて、まずはその人たちをお手本に、「読まれるブログは毎日更新」という鉄則に倣った。

そのときはまだ娘が2歳にもなっていなくて、バタバタの生活でも、そこには新鮮さと喜びとしあわせのタネがあふれていて、話題にも写真にも困らない。それまで、フリーの編集ライターとしてずっと黒子だった自分に、「小川さんのブログから元気をもらっています」とファンレターのようなコメントが届くようになると、モチベーションはいや増した。読んだ人に喜んでもらえて、明日も読みたいと思ってもらえる記事を、第三者からテーマや文字数を与えられてではなく、自発的に書いて毎日投稿する。その習慣は、地道な筋トレのようにわたしの文章を鍛えたと思う。

やがて、書きたいテーマが子育て以外にも広がってきたため、2012年には夫と共同のウェブサイトを開設し、ブログはそちらに引っ越して毎日更新を続けた。しかし、娘が小学生になると、まず写真の撮り方に気を遣うようになり、未就学児のころの、何をやってもおもしろい、かわいい、という子育て日記から、書けることや書きたいことが徐々に変化していった。その変化は、自分にとってはごく自然なことだったし、読者の方から頻繁に届く感想のメールはどれも好意的な内容であることに、「わたしはいい読者に恵まれている」とどこかで安心していたのだと思う。

そうした流れで、「本を出したばかりだから、しばらくは日記は脇に置いて新しい本の話をしていいですよね」という無邪気さで、新刊のプロモーション記事を毎日投稿していたら、ガツンと一撃をくらってしまった。実は毎回、子育てブログよりも何倍もの時間とエネルギーを費やして書いていたにもかかわらず。

以前、テレビの対談番組に出演していた小説家の方が、「SNSの文章で真面目なことは書かないと決めている」と話していて、「すごいプロ意識だなぁ」と感動したことがある。物を書いてお金をもらう職業なのだから、仕事じゃない文章にエネルギーを使わないという姿勢は、正しいと思った。

おそらくわたしも、仕事として依頼を受けて書き、報酬を得た文章に対して、読んでくれた人から「つまらなかった」というクレームをもらったとしても、あれほど虚しい気持ちにはならなかった気がする。実際、著書に対してのそうしたレビューを目にする機会もときにはあり、内容を読んで「なるほど、そういう感想もありですね」と1人うなずいたり、「未熟ですみません、もっと精進します」と心のなかで謝ったりする。仕事や作品としてリリースしたものに対するフェアな批評ならば、今後の課題として、真摯に受け止めたいと思っている。

わたしがショックを受けたのは、ブログという作品でも仕事でもない文章が、単に習慣として期待されていて、それを継続するしんどさが、いつのまにか自分の楽しさを上回ってしまっていたこと。そのくせ読者も満足させられていない、という事実に対してだった。いずれにせよ、やり方を見直す時期だったのだ。

虚しさにしばらくへこんだ後、わたしは自分のなかのブログの定義をとらえ直すことにした。その結果、「無理してでもがんばって毎日更新」というルールを改め、週２回程度の更新を基本に、それもきついときは休むと決めた。娘の受験が大詰めを迎えた時期のブログは、週１回の更新でもやっと、という感じだったけれど、そこで無理をしなかったからこそ、受験が終わった後は「ただいま」とホームに帰ってきた気持ちになれた。

読者のみなさんが送ってくれた、わたしと娘への応援のメッセージすべてに感謝しながら、受験終了を報告する記事を投稿すると、「おめでとうございます」「本当にお疲れ様でした」「まるで親戚の子の受験みたいに心配していました」といった祝福や労いのメールが、しばらくの間、日に何通も届いた。その１通１通にお礼の返信を送り、その後はまた本来のリズムで楽しく更新を続けられている。負担がないということが、またわたしにブログの楽しさとありがたさを思い出させてくれたのだ。

新刊の発売など、広く効果的に宣伝したいおしらせはinstagramを使い、いつか作品になるかもしれない文章の下書きにはnoteを活用する。

自分としては今それなりにうまく回っていると感じている、「書くことと書く場所の使い分け」は、元をたどれば、あの日届いたクレームに端を発しているといえるかもしれない。

自分の内側がグラグラと揺れ、ぐちゃぐちゃと考えながらもがいた結果、なんとかたどり着いたかたち。もちろん、このかたちも今後また変わっていくだろうけれど、少なくとも「変わっていくものだし、変わるほうがいい」と、やわらかく考えている。

あのショックな出来事には、やっぱり大事な何かが潜んでいて、わたしはそれを見逃さずに、ちゃんとつかまえることができたのだ。

山から降りる準備

10年以上前から、気持ちのうえでは村を離れ、山にこもっている。けれど、この山から降りる準備は、もうできている。

2008年に娘が生まれ、2歳のときに東京から郊外へ引っ越した。周辺に昔ながらの農家や農地が多く残る、のどかな田舎である。そんな土地に見つけた和風の家で、家族との新しい生活がはじまった。

わたしは20代から途切れることなく続けてきた忙しい雑誌の仕事から、少しずつ書籍の執筆を中心としたマイペースな働き方へとシフトしていった。そうした変化によって、心の住処も、にぎやかな村から小さな山の奥の小屋へと移り、そこでひっそりと暮らしを営むことに、落ち着きを感じるようになった。山小屋の日々をこつこつと文章に綴っては、読んでくれる人たちに向けてブログとして発信したり、定期的に村へ出て買い物をしたり人に会ったり、ときには旅にも出たりしたけれど、基本的なスタンスとしては「ただいま山ごもり中」だった。

「山ごもり」を現実的な表現に言い換えれば、子育てに軸足を置いてきた、となるのだろう。仕事は細々とでも続けてきたのだから、子育てに専念したわけではない。でも、子どもが幼くて手がかかるぶん、子育てがおもしろい時期でもあるなら、それを堪能しようと思った。家で仕事をするフリーランスにとっては、実践するのはそうむずかしいことではない。独身のころのように、すべての時間を自分のために使えなくなると、最新の情報をキャッチすることには執着がなくなり、そのかわり家族の毎日と、周辺で起きることから、最大限のことを吸収しようと感覚を研ぎ澄ませる体に変化していった。

娘が小学４年生になり、本人から中学受験をしたいと言い出したことで、塾通いがはじまった。毎晩の送迎とテスト結果と偏差値の推移に、親の体と心まで振り回される日々は、中学受験に対して何の情報収集もしてこなかったわたしの甘っちょろい考えを粉々に打ち砕き、山ごもりは、山のさらに奥深い場所へとひきずりこまれて続いた。

娘の受験勉強に伴走しながら、わたしの心はいつだって暗く厚い雲に覆われていた。つらくて、自分が有意義なことや正しいことをやっているという確信がもてない。けれど、すべては受験が終わるまで、という残り時間が見えていたことだけが救いだった。だって、子育てに限っていえば、今よりラクになることがわかっている、そんな明確なゴールが見えたことは、それまでほとんどなかったから。

人によっては、乳児期と保育園時代までが最もたいへんで、小学校に上がってからずいぶんラクになった、と感じることも多いだろう。

わたしだって、もし企業に勤めていたり、外に出なければできない仕事だったりしたら、まったく違う子育てになっていたはずだ。たまたま、家に小さな机とパソコンがあって、規模や収入の大きさを望まなければ続けられる仕事だったというだけ。そうした身にとっては、18時まで娘を預かってもらえた保育園時代より、15時や16時で下校してくる小学校時代のほうが、集中して仕事できる時間は減ったという現実がある。だからわたしの場合、子どもが小学校に上がってから、自分が子育て中の身であるという意識が強くなった。学校が家の２軒隣りということもあり、授業参観や保護者会にはすべて参加したし、PTAの役員や読み聞かせのボランティアもやった。なんだかんだと、しょっちゅう小学校に行っていた。

それはそれで楽しかったけれど、仕事については、以前のようにバリバリと働く自分からはすっかり遠ざかった。とくに中学受験の最後の半年は、受験生である子どもよりもこちらのほうが精神的に追い詰められてしまい、仕事どころではなかった。そんななかで、「これが終わったら、お母さん役を最優先する生活に一旦区切りをつけよう。また本来のわたしに戻ろう」と決めたことで、なんとかあの受験の日々を生き延びることができた気がする。なんと大げさな、と呆れられることは承知だけれど、中学受験の世界を経験したならば、「わかる」とうなずいてくれる人もきっといるだろう。

受験は別にしても、子どもが保育園児や小学生なのと、中学生以上なのとでは、まったく違うと思う。小学校の時期は、毎朝８時に娘を送り出したら、大慌てで家事をして、追い立てられるように仕事をして、娘が学校から帰ってきたら、その後は勉強を見て、または塾や習い事の送迎をして、夕飯をつくって食べて、片づけて、という日々をくり返してきた。

でも中学生になったら、起床や登校の時間が早くなり、部活動から帰ってくる時間は遅くなる。単純に、わたしが自由に使える日中の時間は４時間も増えるのだ。４時間なんて！　まるで夢みたいだ。毎日それだけ時間がもらえたら、やれる気がすることは、たくさんある。

これまで、何かを犠牲にしたつもりなんてない。子どもを産むことも、働き続けることも、受験を応援することだって、自ら選び取ったことの

はずだ。それなのに、人生の新しいページにようやく進めることを想像すると、涙が出そうなほど感慨深いのはどうしてだろう。子どもが中学生になって子育てが一段落したわたしは、40代の終わりを迎えようとしている。そのとき、何がしたい？　何ができる？

仕事に没頭できる時間を増やしたいのははっきりしていて、さらに、山ごもりを経たからこその働き方、生き方を見つけたい。それは新しい自分を探すようで、どこかで本来の自分に戻るような感覚もあって、密かにワクワクする。普通は、子どもが社会人になったときこういう心境になる女性が多いかもしれないし、ちょっとフライングだろうか、という気もしなくもない。けれど、いずれにしても今暮らしているこの山は、もう十分堪能した。子どもは山から降りていってしまうのに、小屋にポツンと残っていてもなぁ、という感じ。もちろん山小屋には１人ではなくて夫もいるのだけれど、子育ての日々において、わたしたちはこの先、どうしたって「置いていかれる側」なのだから、遅かれ早かれ、子どもと切り離した自分の道を、また歩んでいくことになる。

子どもが小学校を卒業するまでの12年間に、当事者としてどっぷり浸かった山ごもりの日々は、きっとわたしの人生のなかでも特別なシーズンとして刻まれることだろう。

そのかけがえのない歳月を経て、次に迎える新たな章は、お母さんではない自分として、やりたいことをやるのだ。久しぶりに山を降りるわたしの気持ちは、こんなにも晴れ晴れとしている。

第3章　続ける

ヨガ17年目の挑戦

健康のためにこれだけはやると決めているのが、ヨガだ。DVDに合わせて、じっくり体を伸ばしながら筋力をつけるパワーヨガを、毎朝50分。その習慣は、大げさでなく、わたしの心と体を支えている。

流行にのってヨガ教室に通い始めた31歳のときは、他に運動もしていなかったから体が硬くて、筋力も体力も情けないほど乏しく、先生や周囲の生徒さんとのレベルの違いにまずは打ちのめされた。

けれど同時に、憧れと、負けん気と、独身１人暮らしで時間的余裕もあったから、積極的に教室に通った。並行して自宅でも自主トレに励み、２か月ほどで初級クラスの内容にはついていけるようになった。

わたしは何でも影響されやすくて、やる気に火がつきやすい単純な性格だ。そのかわり、ある程度の達成感を得てしまうと冷めるのも早い。しかしヨガには飽きなかったし、今も飽きていないのだ、自分でも不思議なくらいに。

ヨガマットさえ手に入れれば、１人でできて、天気に左右されず、激しく動くわけではないのに体が温まり、姿勢がよくなる。続けていくと、劇的にではないけれど自然に体が引き締まる。自分の性格と目的に合っていることが、はじめて早々にわかったのがよかったのだろう。

30代後半からは、出産をはさんで教室には通えなくなったが、基本的なポーズは覚えたので、家で自主トレを続けていた。といっても、お風呂上がりのストレッチ程度だけど、それで柔軟性はそこそこキープしているつもりでいた。

ところが43歳のとき、厳しい現実に直面する。地元のヨガ教室の体験レッスンを受けてみたら、思っていた以上に自分の体力と筋力が低下していて、まったくついていけなかったのだ。そこでまた奮起し、今も続く毎朝のヨガ習慣がはじまった、というわけである。以来6年ほど続いている朝ヨガで、決めていることは、朝食前にやる、2日以上は休まない、という2つ。ストイックだと感心されることもあるのだけど、これは意志の強さというより、体がラクなほうを取った結果なのだ。

ヨガが習慣として定着するまでの間、継続のモチベーションとなったのは、第1に、自分の体が中年化していたことに対するショックと焦り。これが大きかったことが結果的にはよかったと思う。

第2に、教材として流すDVD。著書やブログでもたびたび紹介してきたが、『ブライアン・ケスト　パワーヨガ』という、ややハードめな内容のものをチョイスしたのがカギとなった。

そのヨガは、アシュタンガという流派をベースにエクササイズ用にアレンジされたもので、真面目にやると汗もしっかりかくし、レッスンには腕立てや腹筋が組み込まれている。だから、筋力がつけばつくほど、はじめはつらかったポーズも少しずつ楽に感じるようになっていく。

朝ヨガ習慣がはじまってしばらくは、汗ばかり滴って、どのポーズもDVDのカウント数をキープできなかった。そんな「キツくてヨガ自体がイヤになっちゃいそうな状態」を早く脱したくて、毎日続けた。こんなに続けられた運動は他にないから、ヨガだけは嫌いになりたくなかったのだ。これも早く習慣化できたポイントだと思っている。

もしこのとき、週1回というペースで取り組んでいたら、続けられなかった気がする。なぜなら、そのペースだといつまでも筋力がつかず、やるたびに腕立ても腹筋もキツくてたまらない状態からの振り出しになるだからだ。2日以上休まないというマイルールは自分への厳しさではなく、「2日休むと3日目にやったときに体がキツい」という実感から導き出されたものなのだ。

また、ヨガはそもそも空腹時にやるのが鉄則だが、それを朝にやるのを基本にしているのは、「やろうかな、やめようかな」とグズグズ迷う時間をさっさと手放したいから。

たとえば、今日やらないとヨガを2日休んだことになってしまう日に、早起きができなくて朝食前にヨガができなかった、とする。

自宅で仕事をしているので、執筆で1日家にいる日も多い。そんなときは、日中や夕方にヨガの50分間を組み込むことも、できなくはない。でも、そんな日は「何時にヨガをやろうかな」と思いながらひとまず仕事にとりかかり、昼になり、午後になって、アララ、もう夕方……夕飯づくりにとりかかる前に、無理やり短縮バージョンをやったり、結局そんな余裕もなくて、流れで家族といっしょに夕飯を食べちゃったり。

そんなとき「あーあ、結局今日はヨガができなかったよ」とため息をつきながら日を終えるのは、重い荷物を1日中持ち歩いていたのに、最後までそれの出番はなかったような、なんだか損した気分である。これからヨガをやる、という可能性を残してさえいなければ、もっとさっぱりした気持ちで1日を過ごせたのに！

そんな経験を何度かするうち、基本は毎日、それも朝やると決めてしまえば、さまざまな問題が解決することに気づいた。

わたしみたいな、運動がもともと好きではないフリーランスの在宅ワーカーにとって、生きているかぎり仕事を続けられる体をどのようにしてつくるか、というのは、切実なテーマだ。そこへ、6年前、最低限のキープはできていると油断していた体に、「維持は低下のはじまり」という現実を突きつけられてしまった。必死に立て直してきた日々を振り返りながら、「もうあそこには戻りたくない」と心から思う。

それでも最近は、毎日ヨガをやっていても、体の老化スピードの速さを感じてしまう。筋肉痛も今はほとんどないし、家で一人でやっているだけだと、ポーズの負荷も知らずしらず甘くなっているのかもしれない。更年期のせいなのか、肉がつきやすかったり、たるんだり、おまけに疲れやすいのも気になる。

人は何歳であろうと、できなかったことができるようになるのが楽しいはずだ。でも、年令を重ねていくと、できると思っていたらできなくなっていたというものが増えていく。それは自然なことなのかもしれないけれど、「年を重ねたからこそできるようになった」ということも見つけないと、バランスがよくない。自然に身をまかせて低下するばかりでは、せつないではないか。

そんなことを考えていた矢先、ヨガと出会って17年目にして、ずっと目標にしてきた難関ポーズの習得に挑戦することになった。

それは「ポーズの王様」とも呼ばれる、ヘッドスタンドというポーズ。壁を使わない逆立ちで、頭頂と両肘下だけを床に着き、徐々に両脚を天井に向かって伸ばしていって、真っ逆さまになった状態で静止する。頭と足の位置が逆になることで、全身の血流がよくなり、アンチエイジング効果は絶大といわれる。

「いつかはヘッドスタンドができるようになるのが目標」と、これまでも口では言ってきた。しかし、具体的にヘッドスタンド用の練習はとくにしていなかったし、そもそも自分がそれをできるようなると、たぶん本気では思っていなかった。

ある日、instagramで友人がヘッドスタンドの練習をしている写真が流れてきて、またわかりやすく触発されたわたしは、1か月で自分もできるようになってみせる、と家族に宣言した。練習法をネットで探しては試し、朝ヨガの後と、夜のお風呂上がりに、毎日練習した。

結果はというと、1か月後はまだ成功率は30%ほどで、その後も特訓を継続。さらに1か月後、つまり宣言から2か月後に、ようやく95%以上をクリア。100%と書けないのは、体調や集中力によって失敗することが今でもあって、それくらい繊細なバランス感覚を要するからだ。

とにかく、なんとかポーズは習得できたが、達成までかかった日数に、またもや自分のイメージと現実のギャップを突きつけられてしまった。

特訓中、課題点を確認するために、娘に動画を撮影する役を頼んだ。近ごろは思春期で憎まれ口ばかりの娘も、40代後半の母親がバッタンバッタンと床に倒れながらも練習に励む様子を見て、何かしら感じることもあったのだろう。やっと目標を達成したときは「ママ、すごい」とめずらしくほめてくれた。

これがヨガのポーズの王様、ヘッドスタンド。まさか40代後半でできるようになるとは思わなかった。

運動でも勉強でも容姿でも、わたしは生まれつき抜きん出たものは何も持ち合わせていない。それでもコツコツと取り組めば、努力はいつかきっと実を結ぶ。子ども時代や若いころなら、勉強や仕事を通じてそのことを実感する機会もあったが、大人になった今も素直にそう信じられるのは、きっとヨガのおかげだ。

そして、人生にはときどき、コツコツの延長線上にあるのではない、ちょっと思いきったジャンプをしなければ届かない夢や目標が現れる。それはちょうど、難易度の高いヘッドスタンドのように。

そのときは、これまでのコツコツをお守りにしながら、本気モードにギアを入れ替えて、いつもよりもエネルギーを使って挑むしかない。

コツコツ続けてさえいれば、そのまま大きく飛躍できるわけではないけれど、「コツコツ」と「本気」が組み合わされば、夢はきっと叶う。

そんな希望も、ヘッドスタンドの達成に付いてきたごほうびかな、と思っている。

ホコリの思い出とそうじ魔の現在

わが家のインテリア取材に来てくれた雑誌ライターの方に、「床に直置きされているモノがないんですね」と言われて、ハッとしたことがある。

あらためて意識したことがなかったが、言われてみれば、たしかにそうだ。よくアーティストのアトリエの写真などで見かけるような、床から無造作に積み重ねた雑誌や本とか、大きな観葉植物の鉢植えといったものが、うちのリビングにはない。家具もすべて脚付きだ。

わたしは床にホコリがたまるのが苦手で、だから毎日家具の下までモップを入れて拭いている。そうじのたびに動かすのが面倒に感じるような重いものはなるべく床に置きたくない、という気持ちが、家具選びやインテリアにも影響しているのだろうか。

ハウスダストアレルギーでもないのに、なぜそんなにホコリがきらいなんだろう。あらためて考えてみると、もしや、と思い当たることがあった。それは、実家で語り継がれる笑い話の１つでもある。

３人きょうだいの末っ子として生まれたわたしは、活発で運動神経の

いい姉や兄とは違い、なにもかもがスローな子どもだった。上の２人の存在感に押されて、家族のなかでスポットライトを浴びる機会はほとんどない。そんな地味でノロマな亀のようだったわたしが見当たらないと、母やきょうだいが家のなかを探すと、きまってテレビの下にいて、手を口に突っ込んで何やらモグモグ食べている。母が慌ててわたしの体を引っぱり出すと、口からも、手からも、よだれまみれになったホコリが出てきたという。

「奈緒は赤ん坊のころから食い意地が張っていて、いつもテレビの下でホコリを食べてた」と姉や兄にからかわれ、ドン臭い末っ子のキャラクターはますます揺るぎないものとなった。母によると、テレビが脚付きだったということは、まだ東京で父の会社の社宅に暮らしていた１歳か２歳のことで、当然わたしの記憶はない。なのに「テレビの下でホコリを食べてた子」というネタで、長い年月に渡り、家族に笑いを提供しつづけてきたのである。

そのトラウマかどうかは知らないが、物心ついてからは一転、部屋が散らかったり汚れたり、ホコリがたまったりしているのがどうにも落ち着かない性分として、これまで生きてきた。

おまけに29歳でフリーになって以来、ずっと在宅ワークの身。仕事に集中できる環境とくつろげる環境をひとつ屋根の下で両立させるために、よりスムーズに効率よくきれいにできる方法をいろいろと試してきた。その結果、「これが自分にとっての正解」とたどり着いた、現在のそうじと片づけ法は、こんな感じ。

まず、そうじ。毎朝15分で、2階建て一軒家の全体をモップがけするのを日課にしている。ただしモップといっても昔ながらのものではなく、今どきのフローリングワイパーだ。もっと具体的にいえば、花王「クイックルワイパー」の業務用と、専用のシートを愛用していて、ネットやホームセンターで買える商品である。

業務用を選ぶところが大事なポイントで、ヘッド部分がワイド幅のため、少ない動きで広範囲が拭けて、時間もエネルギーも大幅にカットできる。

わが家はソファの前にカーペットを敷いている他は、フローリング部分がほとんどなので、メインはフローリングワイパーを使い、それでキャッチできないゴミとカーペット部分のみハンディクリーナーをかける。すると、以前ハンディクリーナーをメインにそうじしていたときより、充電回数が格段に減ったため、エコの観点でも満足している。

ワイド幅のフローリングワイパーといっても、電化製品に比べたらずっと軽量だから疲れないし、15分間という短さは、慌ただしい朝のスケジュールにも組み込みやすい。1階も2階も床を拭いて回るとなると、キビキビ動かないと15分間では間に合わないけれど、集中してやればちゃんと終わる。その時間の設定も、継続の秘訣といえそうだ。

これまで、メイン道具がハンディクリーナーだった時期もあれば、平日はそうじをしないと決めて週末にまとめてやる、という時期もあった。けれど、それだと平日の汚れがどんどんたまっていき、途中も気持ちがよくないうえに、休日のそうじに費やす時間とエネルギーが増大して、取りかかる前から憂鬱になる。

15分間でも毎日そうじを続けておけば、ついでに片づけもするし、床はいつもすべすべ。そして休日は、平日に手が回らない部分のそうじができて、各所のきれいの平均値が上がるというわけだ。

次に、片づけ。「これが片づいている状態です」という風景を、自分のなかにはっきり持っておいて、そこからはみ出したものをしまったり、元の場所に戻したりする。

「片づいている状態」は、「心地よくくつろげる状態」と言い換えるとわかりやすいかもしれない。この感じ方は、人によってけっこう違うようだ。

わたしは昔から、海外のインテリア雑誌や古い家の写真集などを見るのが好きで、ページをめくりながら「こんな家に暮らしたい」と憧れをつのらせていた。それは仕事とか家事の参考とか関係なく、純粋に趣味なのだけれど、おかげで心地よく片づいた理想の部屋のイメージが、10代後半のころには自分のなかにバッチリ刷り込まれていたように思う。

だから念願の１人暮らしでは、部屋を自分の思い通りにしつらえるのがとにかく楽しかったし、ふらりと友人が訪ねてきて、部屋が乱雑で慌てるといったこともなかった。

ある日、はじめて部屋に遊びにきた女友だちに「もうちょっと散らかっていると、もっといいんだけどなぁ」と言われたことがある。

彼女にとっては、そのほうが人間味があるし、おしゃれに感じるという。それこそアーティストのアトリエみたいに。

なるほど、と思いながらも、たとえおしゃれじゃなくても、自分は片づいている部屋のほうが落ち着くことを再認識するきっかけとなった。また、人によって落ち着く部屋の基準はいろいろなのだと知ったのも、それが最初だった気がする。

結婚して、いっしょに暮らしはじめた夫との片づけに対する価値観の擦り合わせには、それなりに時間がかかった。きれいにしたい気持ちが強いのはわたしのほうだから、リビングやダイニングやキッチンなど、家族で使う場所は、そうじと片づけを引き受けることにした。そのかわりプライベートスペースには関与しないため、夫の仕事部屋をたまにのぞくとたいへんなことになっているけれど、区切りがついたときに自分で片づけているみたいだ。

やっぱりいちばん大事なのは、家族でく

つろぐリビングとダイニングの状態で、そこのそうじを率先して行い、これがあるべき姿ですよ、という風景を、家族の意識にも刷り込んでもらう。すると、わたしが出張に出たり、体調を崩したりして家事がしばらくできないときでも、まったく普段通りとはいかずとも、いきなり家が散らかることはない。数か月、ときには数年かかったとしても、「うちはいつもこれくらい片づいているのが普通」というイメージを家族で共有できれば、それから先の片づけは、とてもラクになると思う。

では、わが家のリビングダイニングのあるべき姿とは具体的にどんなかというと、まず、ダイニングテーブルには何も置いていないのが基本。逆に、何か置いてあるときは「これに気づいてね」という伝言であることが多い。いつもはまっさらな四角形に何かがチョンと載っていると、それはあきらかな違和感なので、気づきやすいし、いやでも気になる。

重要な郵便物やプリントの書類ならば、すぐ仕事部屋に移動させ、読んでファイリングするなり処分するなりして片づける。部屋が片づいている状態がデフォルトになると、雑事の処理まで早くなるのもいいところだ。

ソファにはクッションを5つ並べているが、夜にテレビを見たりくつろいだりするときにはグチャグチャになる。これを、朝のそうじの際にポンポンと形を整えてきれいに並べ直すと、それだけで、ホテルの客室清掃みたいに、人の手が入ってきれいに整えられた後

のような印象が生まれる。

モノは収納に入るぶんだけと決めて、そこに収まりきらなくなったら断捨離のタイミング、としてきたけれど、今はメルカリのおかげで、日常的にモノの要不要を見直して、いつでも手放せるようになった。おかげでモノがたまりにくく、片づけもますますしやすくなったと思う。

わたしが毎日そうじと片づけをするのは、家の状態をそのまま自分の状態として受けとめているからかもしれない。職場を家の外に持たないから、その意識がよけいに強いのだ。

実際に、家が心地いい状態でないと、わかりやすく心がざわざわして、いい文章もなかなか書けなければ、家族への物言いもトゲトゲしてしまう。だから、家のそうじと片づけは、歯を磨いたり、お風呂に入って髪や体を洗ったりするのと同じなんだと思う。

そう考えると、お気に入りの歯ブラシやシャンプーも、数年後にもっとしっくりくる製品に出合ったらそちらに移行するみたいに、今のそうじと片づけの方法もまた、そのうち内容が変わるのかもしれない。その前提で、今のところはこれが最適解と思っている。

はずかしい文章を書き続けた先に

書庫の整理をしていたら、かつて仕事をした古い雑誌がいっぱい出てきた。なかには、読者として大好きで、ライターになってからは憧れの仕事先だった雑誌もある。作り手にまわってみると、憧れが強かったぶん、自分の文章に自信が持てなくて、ずいぶん悩みながら書いてたっけ。そんなことを思い返しながら、久しぶりにページを開いて、自分の書いた記事が目に入った瞬間、あまりのはずかしさに「ギャッ」と叫びながら反射的に本を閉じた。

その猛烈なはずかしさは、照れではない。過去の自分がもがく姿を見たくないという苦い気持ちだ。迷いながらも、その雑誌たちはごっそり処分した。手がけたページを切り取ってスクラップするなんてことは、もちろんしない。

ファッションページを担当することが多かった20代から30代は、ページの主役であるファッション写真に合わせて、コーディネートや商品の特徴を伝える、コンパクトな文字数のキャプション原稿をたくさんたくさん書いた。そのとき、各雑誌の読者層に合わせて、文章に独特のカジュアルなノリを出したり、カタカナのファッション業界用語をふんだんに取り入れたりしながら文章を書き分ける必要があったのだが、文章を書くのが好きという思いとは別に、このファッションのキャプション書きには強い苦手意識を持っていた。たった100文字程度のキャプションをウンウン唸りながらなんとか書いて、先輩や担当編集者に読んでもらうときもどこかはずかしく、OKをもらっても、手応えや達成感はなかった。

そんな日々から20年近くも経てば、そうした原稿もよい思い出として笑いながら読めるかと思いきや、とんでもない。たった100文字を最後まで読み通すことができないほど、むしろはずかしさは増していた。

文章の上達法として、「まずは自分が好きな文章を真似るところからはじめるといい」とは、よくいわれることだ。最近もテレビで芥川賞作家の方がそう語っているのを聞いたし、わたしも幼いころから無意識のうちに、そうやって文章の練習をしてきたのだと思う。

今でも本を読んであまりにも深く感動すると、直後に書いた文章が、さっきまで読んでいた本のトーンとうっすら似てしまうことがある。読みながら自分がその本の世界に入っていき、数時間や数日間でも、その言葉の世界に浸って生きるからなのだろうか。文章を読んでもらった夫に指摘されることもあるし、自分で読み返して気づくこともある。でも開き直るわけではないが、そうした文章は不思議とそんなにはずかしくない。一度は自分の深部を通過して出てきた文章だからだろう。

わたしが雑誌のノリに合わせて苦労して書いていた原稿は、自分のなかにはないキャラクターを必死で演じようとしている、しかし演技力がまったく足りていない、中途半端な文章だった。他のライターさんはどんなふうに書いているのだろうかと、雑誌のバックナンバーを見て研究したり、頻出する用語を自分の原稿に取り入れたりして、なんとかそれっぽいムードを出そうと試みた。そうして書いた原稿は、他者の文章のエッセンスを取り入れる点では、昔から伝えられる文章上達法と共通しているのに、なぜまともに読み返せないほどはずかしいものに感じてしまうのか。

きっと「好きだ」と心が動いていないものを、かたちだけ真似たからなのだ。自分がその世界に入り込めないもの、または自分のなかに吸収しきれていないものを、「こんな感じかな」と表面的になぞっただけ。そのことが、今読み返すとはっきり見透かせるから、居心地が悪くなる。

反面、そんなに苦労して書いても達成感が味わえない、その虚しさを知ったからこそ、逆に自分の文章への意識が強くなっていったともいえる。うまい文章を書きたいという意欲より、自分が書いたものとしてはずかしくない文章でありたいという気持ち。自らの内側から出てきた言葉なら、稚くてもはずかしくはないのだ。でも手探りでよそから借りてきた言葉を、わかったふうに使う文章は、はずかしい。

そのものさしを見つけてから、わたしは文章を書くのがどんどん楽になっていき、また素直な気持ちで書けるようになっていった。平易で読みやすいと言われることが増えて、ブログの読者の方や担当編集者の方から「小川さんの文章を読んでいたら、自分でも何か書いてみたくなった」と言っていただいたことも、何度かある。もちろんうれしいし、そんなときは、自分がある種の達成感を得られているのがわかる。

これまで出版した著書は、原稿の推敲は何十回もやるわりに、出版後は見本をざっと確認したら、ほとんど読み返さないのだけれど、何らかの必要があって読み返すことになった場合は、内容よりもまず、自分がはずかしくない文章かどうか、そこが気になってドキドキする。おそるおそる読んで、はずかしくなければ、心からホッとする。

あるいはこんなふうに書いていても、20年後はまた、この文章もはずかしくて読めないのだろうか。そしてはずかしさとともに、書くことのむずかしさをかみしめるのだろうか。文章を書くという道に終わりはなくて、それはどこまでもどこまでも続いている。

ゆるく続けるグルテンフリー

2019年のウィンブルドン決勝戦。ジョコビッチが芝の王者フェデラーを制して優勝を手にした7月14日から、わたしはグルテンフリー生活をはじめた。

彼の著書で大きな話題となったベストセラー『ジョコビッチの生まれ変わる食事』（ノバク・ジョコビッチ／扶桑社）を買ってきたのは夫で、全豪オープンをきっかけにテニスに興味を持ったのと、夏のメルボルンを旅して、グルテンフリーやヴィーガンメニューも豊富な現地の食事と、見るからにヘルシーな人々に感化され、「僕ももっと健康になりたい」という思いで、彼はこの本を購入したと記憶している。

ところが、知らぬ間に前半で挫折していたらしく、わたしのほうが、ウィンブルドンという世界王者を決める国際大会で、鉄人のような強さで決勝へと勝ち進むジョコビッチに興味が湧いてきた。そこで、夫の本棚から『ジョコビッチの生まれ変わる食事』を抜き出して読みはじめると、あまりの面白さに一気読み。すっかり影響されて、本のなかで体質改善法として紹介されているグルテンフリーを試してみる気になったのである。

もちろん動機はジョコビッチだけでなく、いちばんには、更年期を迎えた自分の体を日々覆っているなんとなくの不調を改善したい、という思いがあった。しかし、いざ実践となると、たかが数週間とはいえパンを食べられないことを考えて、絶望的な気持ちになってしまう。

だって大のパン好き、焼き菓子好き、つまり小麦粉が大好きだから。ホームベイキングが趣味で、毎朝食べるパンを、もう10年以上、週２回ペースで焼いてきた。パン好きが高じて、味に惚れ込んだ地元のパン屋さんで１年ほど週末バイトをさせてもらったこともある。その時期は残った商品をもらって帰ることも多かったから、朝昼晩とおやつまで、パンや焼き菓子を食べていたっけ。

そんなディープな粉好き人生を送ってきたにもかかわらず、グルテンフリーを決意したのは、ジョコビッチの本を読んだら、わたしが数年前から悩まされている脚の湿疹や、慢性の便秘、頭痛などの症状は、もしかして小麦の摂りすぎと関係があるんじゃないか？と思い当たったからだ。とにかく２週間を目安に小麦をできるかぎり抜いてみて、それでもし体調がよくなり、次にパンを食べたときに体が違和感をもったら、グルテン不耐症の可能性があるという。

というわけで、本に従ってやってみた。すると、開始して数日後から約10日間に渡り、起きている間ずっと頭痛と眠気を引きずっているような感覚で、逆に体がものすごくしんどい。なんなんだこれは、と本やネットで調べてみると、むしろ好転反応、つまり体が毒出しをしている兆しとみるべきのようだ。好転反応の時期や期間は個人差があり、グルテン蓄積量が多いほど、その症状も重いらしい。とすれば、この体調不良にも納得だった。だってこれまでのパン人生を振り返ったら、いかにもわたしの体内ってグルテンが溜まってそうだから。

頭も体もずーんと重くてダルい感じがようやく消えたのが、開始から２週間後。普通は、２週間でさまざまな不調が改善され、体がシャッキリと感じるらしいが、その時点では「なんとなく上向いてきたかな」という程度だった。そもそも、時は真夏である。連日の暑さとクーラー疲れ、夜も寝苦しいとくれば、朝起きた瞬間から絶好調、とはなかなかいかない。つまり、ジョコビッチのウィンブルドン優勝の勢いだったとはいえ、夏にトライしたのは間違いだったのかもしれない。でも、今やめるのもナンなので、続けられるところまで続けてみることにする。

すると１か月は意外なほどあっという間で、まず腸の調子がよくなり、朝の目覚めの清々しさにも感動。とはいえビールもたまには飲みたいし、しょうゆまでグルテンフリー商品に変えるほど徹底させなくてもいいのかな、という気がした。

結局、グルテン食品として極力控えるのは、小麦パンと、パスタ、うどん、中華麺などの小麦麺程度にして、いただきもののクッキーやケーキまで避けるほどではない、ゆるいグルテンフリーを実践することにした。その生活も、今年で３年目に突入である。

もともと極端ともいえるほどのパン派だったため、小麦パンを毎日食べなくなっただけで食生活は大きく変化したといえるのだが、実感はそれほどない。シフォンケーキやパウンドケーキといった焼き菓子は米粉でつくっているし、お好み焼きでさえ米粉でつくれる。揚げものも米粉や片栗粉をまぶすなど、小麦粉はほぼ置き換えが可能だからだ。

ピザやパスタはグルテン食品だから一般的なイタリアンランチはきびしい、といっても、もともと外食はめったにしないし、ラーメンも進んでは食べない。うどん、素麺、冷麦、パン屋さんのバゲットはどれも大好物だったが、食べた翌日は腸が重く感じるようになってしまったため、控えたところで精神的につらいというほどでもない。

発作が起きるほど重度の小麦アレルギーというわけではないから、付き合いの席では食べるし、どうしても麺が食べたいときは、フォーやビーフン、春雨を食べれば満足だ。外食でも、グルテンフリー対応メニューのあるベジカフェはもちろん、ベトナムやタイなどエスニック系レストランも米や米粉のメニューが多いので、選択肢はそこそこある。

でも、それほどムキにならずとも、和食ならグルテンフリーは簡単なのだ。平日は基本的にお酒を飲まないから、ごはんとみそ汁を基本に、タンパク質のおかずと野菜の副菜を組み合わせる定食のような夕食が増えた。そろそろ体に無理が効かなくなってきたアラフィフの夫婦と、成長期の女の子という家族構成には、おしゃれではないが健康的な、こうした食事スタイルはちょうどいい。そんな気づきもグルテンフリーを試したおかげである。

便秘の改善に続き、2か月後には体重が2キロ落ち、悩んでいた膣の湿疹も2年目にはきれいに消滅した。ホルモンバランスの崩れから肌荒れしがちだったのもほとんどなくなり、肌艶がよくなったと家族にほめられる。

このような生活は、グルテンフリーを継続しているといえばそうなのだけど、その意識があまりないのは、つらいほどの我慢はしていないからだと思う。「食べたいのに食べられない」のは我慢になるけれど、今のわたしは、以前は食べたくて仕方なかったパンが、そうでもなくなっている。グルテンフリーの必要がまったくない夫や娘が、おいしそうにパンや焼きそばを横で食べていると一瞬うらやましくなって、「いいなー」と言ってみるのだが、実は言葉ほどはうらめしく思っていない。

なぜなら、それをいっしょに食べて、その後に腸が重いと感じている自分がはっきり予測できてしまうからだ。それより、長年便秘に苦しんできたせいか、そのことに悩まない生活を、40代後半にもなって手に入れられること自体、奇跡みたいなのだ。「腸が軽いってこんなにしあわせなんだ!」という喜びが、小麦パンや麺類への執着を断ち切ってくれているのかもしれない。

そういえば、コロナ禍によるステイホーム期間、みんなが家でパンやお菓子をつくろうとしたためにスーパーで小麦粉や強力粉が品薄になり、値上がりしたときも、まったく困らなかった。以前のわたしならパニックに陥っていたかもしれない。そう考えると、ある種の依存症だったのかなと思う。ジョコビッチの本には、「グルテンを2週間断った後にベーグルを食べたら、翌日は二日酔いのような感覚に襲われた」といったことが書いてあって、そこまで極端ではないにしても、今では彼がいわんとする感覚がわかる。

でも逆に、グルテン断ちを試してみてもその感覚がわからなくて、久しぶりに食べてもパンは変わらずおいしくて、体調もとくに変化がないよって人は、体調不良があるとしても原因が小麦ではないのだろう。

まずはやめてみて、その結果如何で方針を決めるという方法は、とくに用意しなければいけないものはないし、思い立ったらすぐはじめられる。その気になりやすくて、早く結果を出したいわたしの性格には、グルテンフリーはまさにぴったりの体質改善法だった。

得意なもので勝負する

水木しげるの妻・布枝の自伝を原案にドラマ化した、NHK連続テレビ小説『ゲゲゲの女房』が再放送されていて、その録画をまとめて週末に観るのを楽しみにしている。

この作品の制作と初回放送は、2010年上半期。当時は娘が１歳で、育児と仕事に手一杯のわが家では、朝ドラを観る習慣がなかった。そのため再放送で初めてこのドラマと出会っているわけだが、遅咲きの漫画家の生涯と、戦後の出版業界を描いた内容に、どっぷりと感情移入しながら観ている。

今は全体の３分の２あたりまで物語が進んだところ。ここまでのあらすじは、水木しげるが戦地で片腕を失いながらも復員し、貸本漫画家になり、親から勧められた見合いで布枝（役名は布美枝）と結婚。寝る間も惜しんで漫画を描き続けるしげるは、独自の世界観の妖怪作品で、コアなファンや漫画編集者の間では知られる存在。しかし、貸本漫画業界自体が衰退しつつあり、極貧生活が続く。仕事先の出版社も次々と倒産し、もともと安い原稿料さえ支払いが滞り、風邪をひいた妻が鼻をかむチリ紙も買えないほどに暮らしは困窮する。

そんななか、『ガロ』がモデルとみられる大人向けカルト漫画雑誌の仕事が入るようになり、ようやく明るい兆しが見えてきたところに、いよいよ発行部数40万部という勢いに乗る少年漫画誌から原稿の依頼が舞い込む。しげるに提示された条件はただひとつ、「少年たちに人気の宇宙ものの話を描くこと」。

日本でもっとも有名な出版社の超人気雑誌からのオファーに、妻も友人も「これでようやく貧乏から抜け出せる」と舞い上がるが、しげる本人はあっさりと依頼を断ってしまう。その瞬間は、思わずテレビ画面に向かって「あぁ、もう、なんで！」と叫んだ。しかし、編集者が帰った後、断った理由を妻に語った、その言葉がよかった。

「こんなチャンスは二度とこないかもしれん。つまり、一度きりの勝負だ。だから本当に自分が得意なもので戦わなければ、負けてしまう」

貸本漫画家から雑誌の漫画家への転身を試みたものの、時流に合わせようと焦るあまりに個性や実力を発揮できず、夢破れた作家たちが大勢いた。その姿を見ながら水木しげるは、「来たチャンスをモノにするには、自分の持ち味を武器にしなくては勝てない」という思いを強くしていた。だから、苦手とする「宇宙もの」を条件に提示された最初の依頼は、賭けに出る覚悟で、あえて断ったのだった。

その後、しげるの一か八かの賭けは当たり、原稿依頼は再びやってくる。今度は「戦いのシーンさえ入れてくれれば、ジャンルは自由」という条件で。あぁ、よかった！　しげる、あっぱれである。この本質を見据えた冷静な判断が、同じことが自分の身に起きたとして、できるだろうか。たぶん、できない。目先の好条件に舞い上がって、なんとか辻褄を合わせたような中途半端な作品を発表してしまうかもしれない。そして……予想できてしまうだけに悲しい。

得意なもので戦う。このあたりまえの仕事術に、忘れかけていた大切なことを思い出させられた気がして、しばらくこのセリフがぐるぐると頭のなかを巡っていた。

年令や経験を重ねてくると、「得意だとか苦手だとか考える前に、やるしかないんだよ」と自分に言い聞かせて、来た球を打ち返すみたいに、日々をこなしがちだ。生活や子育てには、そうやって切り抜けなくてはいけないときもあるし、その先に得られるものだってあるだろう。しかし、仕事でもそうした姿勢が身についてしまうと、つい見失う、シンプルで大切なこと。

得意なものなら実力を発揮できる。得意なもので戦えば勝てる。そして得意なものは、戦うことさえ楽しいのだ。

そう信じた水木しげるが、一世一代のチャンスを見事つかみ、人気漫画家としての道を鮮やかに切り拓いたように。

今日も腸の話をしよう

人生初、大腸の内視鏡検査を受けてきた。

小学生のころからの筋金入りの便秘体質で、太りやすいのを気にしていた20代や30代のころは、便秘薬やセンナ入りのお茶を常用していた時期もある。そのわりに、毎年受けている健康診断の大腸検査で引っかかったことはなく、「異常なし」の結果通知を受け取るたびに胸をなでおろすのをくり返してきた。ちなみに、今回の内視鏡検査も、結果を先に書くと、異常はなかった。受診したのは都内の内視鏡専門クリニック。ホームページでは「内視鏡検査総数は14万例を超えました」と謳っており、どんなに小さなポリープでも、ここなら見つけてくれるとの評判を聞いて、覚悟して臨んだ。

検査の1時間後には結果がわかり、シロ。ホッとした。が、検査を担当してくれた70代と見えるベテラン院長に言われた言葉が、なかなか衝撃的だった。

「あなたの場合ね、ま、病気じゃあないんだけどね。腸がまぁ、長い！長かったねぇ〜。しかしね、わたしはそのいちばん奥の奥まで、カメラを入れましたよ。奥から手前にカメラを動かしてきたので、いっしょに見ていきましょうか」

パソコン画面で写真を見せてもらいながら腸の内部を確認したところ、わたしの腸は、意外にもきれいだった。途中で院長が、ポリープとか初期のがんなどの異常がある腸の写真を参考に見せてくれたため、それらと比較して、ますます自信と安心を得られた。あぁ、よかった。先生から「この際だから胃の内視鏡もやってみてはどうですかね」と勧められ、翌月に予約を入れた。大腸の内視鏡検査も、１年後にまたやることに決めた。

市の健康診断で２回分の便を提出し、検査に回してもらう大腸検査の精度がどれほどなのかはわからない。それでも一応毎年「異常なし」にもかかわらず、内視鏡検査を受けることにしたのは、やはり自分の年齢と便秘体質を考えてのことと、身近な人たちが次々と腸の疾患に苦しんだせいもあった。

１人目は、５歳上の姉。自宅で、近所の子どもたちやそのお母さんにバレエを教えている。講師は意外に動いていないからと、自らも生徒として週２回ほど都内のバレエ教室に通う。その姉がある日突然、猛烈な腹痛に襲われ、救急で診てもらったところ、腸の憩室が炎症を起こしていた。わたしと違い、どちらかといえばお腹を下しやすい体質だが、健康意識は高く、もちろん運動不足でもない。それでも40歳を過ぎたら、どんな人でもいつ何の病気にかかるかわからない。検診を怠ってはいけないと、気を引き締めた１件だった。

２人目は、義母。暮らしている高齢者施設で、普段通り食事をしていたら、突然の嘔吐。病院に搬送され、原因を調べることになったが、重度の便秘と宿便によって腸の検査ができないと言われてしまう。生まれつきのやせ型で食が細く、油っぽいものや味の濃いものが苦手、精進料理みたいな食事を何よりも好んできた人だが、義父が亡くなって、看病や家事から解放されると同時に運動量も急速に減ってしまい、便秘がひどくなったと日頃から話してはいた。けれど、入居している高齢者施設の食事は基本的に消化のいいメニューばかりだし、内科の診療も定期的に受けていて、整腸剤や軽めの下剤は処方してもらっていた。それでも、宿便が溜まって腸内がカチンカチンになっていたなんて……結局、強力な下剤で腸を空っぽにしてから大腸の内視鏡検査を受けたのだが、ポリープがいくつか見つかり、すぐに切除した。刺激や冒険を大の苦手とする保守的な性格の義母には、かなりしんどい体験だったようで、退院後は「老け込んだな」と感じることが増えた。

３人目は、母の友人。いちばん深刻で、ステージが進行した大腸がんが見つかってしまった。年齢は70代前半。きっかけはやはり突然の腹痛。彼女も義母とよく似たやせ型の体型と食の傾向を持つ女性だが、母のゴルフ仲間で、自宅でもスクワットを日課にするなど運動は日常的に行っていた。ところが、入院して大腸検査を行うことになった際、彼女も医師から「こんなに宿便が溜まった腸は初めて見た」と言われてしまったという。日頃からとくに便秘に悩んでいる自覚はなく、お通じがないとしても1日程度だったらしい。それでも、大学病院の熟練医師がおののくほどの宿便が溜まってしまうとは、どういうことなのだろう。母によると、彼女はその年齢になるまで内視鏡検査を受けたことがなく、それもよくなかったのではないか、とのことだった。

こうした身近な人たちの腸にまつわるトラブルが、もともと腸に不安のあるわたしの恐怖を煽り、初めての内視鏡検査へと向かわせたのだった。結果に異常がなかったのは何よりだが、やはり前日から当日朝にかけての下剤の飲用は、初めてでおっかなびっくりだったこともあり、なかなか強烈な体験だった。

検査当日が朝食抜きなのはいつもの健康診断と同じだけれど、前日の食事も、病院から渡された内視鏡検査用のレトルト食を3回食べるのみ。飲み物は水やお茶やスポーツドリンク、果肉などが入っていなければジュースもOK。間食は「透明なアメならいい」とのこと。まぁ怖いので、指定のレトルト食品と白湯だけで過ごした。

なんといっても恐ろしいのが、前日の夜と当日の朝に飲む下剤である。説明書にも「飲んでから数時間は下痢が続きますのでご注意ください」としっかり書いてある。でも効いてくる時間は個人差があるため、初めてだと何時間後に下痢症状が起こるかわからない。とりあえず夕食をいつも通り6時に食べたが、落ち着かないので7時過ぎには風呂に入り、8時に下剤を飲んで、早々とベッドに入った。わたしの寝床からトイレまでは５歩くらいで行けるので、便意を待ちながら本を読む。ところが小説を最後まで読み終わってしまい、娘や夫がいつも通り寝室に上がってきても、まだお腹は静かなまま。「あれ、まだ起きてるの？　下痢はまだ？」と２人に聞かれながら、不安な顔でうなずくしかない、深夜11時。結局、腸が反応しはじめたのは、２冊目の本もずんずん読み進めていた深夜０時半すぎで、下剤を飲んでから５時間近くが経っていた。こんなことなら、11時ごろに寝るつもりで普段通り過ごして、直前に下剤を飲んで寝てしまえば、明け方まで５時間くらいは寝られたのだ。まぁ初回だから仕方ないのだが、それから朝まで、ウトウトしたと思ったらお腹がギュルギュル動き出して飛び起き、慌ててトイレに駆け込むのを、たしか10回はくり返しただろうか。

　朝、空っぽになったお腹と、寝不足でずーんと重い頭を抱えて起きてきたわたしに、夫が「隣でお腹がギュルギュル鳴る音で何度も目が覚めた」と言う。わたしはというと、夫の高イビキを聞きながら「アンタはのんきでいいわよね」とうらめしく思っていたのに、まぁ夫婦なんて、そんなものだろうか。

　大腸の内視鏡検査にはもれなくついてくる、この下剤騒動だが、一度経験してしまえば、もう怖くはない。わたしの子どものころからの便秘も、下剤が効くまでの時間も、医師の言うところの「長〜い腸」を想像すれば納得だし、検査自体も、さすがは膨大な症例数を誇るだけあって、痛みはなかった。ただ、検査後に看護師さんから「体内のガスをどんどん出してくださいね」と言われたものの、あまりピンとこなくて、しばらく横になって休んだ後に着替えをしようと起き上がったら、あまりの腹痛にしゃがみ込んでしまった。すぐに看護師さんが来てくれて、「まだガスがたまってるんだわ。こちらに来て横になって」と休憩室のベッドに寝かされたと思ったら、背中やお腹をゴシゴシとさすられ、するとオナラがブーッ、ブーッと、まるでドリフのコントみたいに出てくるではないか。その瞬間は、体が苦しいので笑う気にもなれなかったが、思い出すと笑ってしまう。また、わたしの体内のガスを出し切ろうと奮闘してくださった看護師さんにも、今さらながら感謝の思いがあふれてくる。ひと通りガスが出切ってしまうと、アレッと思うくらいお腹の痛みもなくなっていて、上体を起こせるようになった。
「腸内検査のときははじらっちゃダメよ。とにかくどんどんオナラを出すこと。そうしないと回復できないからね」と爽やかに言った看護師さんの、マスクとキャップの間からのぞく美しい目元をまぶしく見上げながら、「よくわかりました、お手数をおかけしました」と頭を下げた。

　内視鏡検査が無事に終わり、結果も異常なしだったと家族に報告すると、夫も娘も手を叩きながら喜んでくれた。平和な家族にも感謝である。

　そういえばわが家には、日頃から腸の状態を報告しあう習慣がある。夫は幼少期からすぐにお腹をこわす体質で、それも年々改善されてはきたが、結婚当初はアイスもニンニクも下痢が怖くて食べられないと真顔で言われ、自分の体質とのあまりの違いに絶句した。

娘はまだ中学生だが、赤ちゃん時代から便秘にも下痢にも悩まされた経験がほとんどない、わが子ながらうらやましい体質で、本人の報告によると「１日２回、ときには３回、バッチリ出る」。そのせいか、旺盛に食べるわりには太らない。

若いころは、いくら夫婦でも、下の話まで開けっ広げに話すってどうなのか、と思っていた気もする。でも今は、今日のお通じについて、はずかしがらずに報告し合える家族関係でよかった、と思っている。そうなれたのはおそらく、つねにお腹の心配をしながら生きてきた夫のおかげかもしれない。

腸の状態は健康のバロメーターなのだから、家族ひとりひとりの腸の様子を把握しておくことは、体温や血圧の数値を知らせ合うのと同じだ。そして、それぞれがいいお通じを得られている家族の日常は、基本的に健やかでしあわせだと思う。

平日にお酒を飲むのをやめたら、週末がもっと特別になった。以前より和食の献立が増えたせいか、最近は日本酒がおいしい。

米粉の
バナナシフォンケーキ

コーヒー休憩用につくる焼き菓子の定番は、身近な材料でできるシフォンケーキ。雑誌や本で見たレシピを米粉でアレンジして、グルテンフリーに。

［材料］直径17センチのシフォンケーキ型

米粉	70g
ベーキングパウダー	小さじ1
卵	4個
きび砂糖	75g
米油	25g
バナナ（熟した小さめのもの）	1本

［準備］

＊バナナは皮をむいて、フォークや泡立て器の先でよくつぶす

＊オーブンは170度に余熱する

① 卵は卵白と卵黄に分け、卵白のボウルは冷蔵庫で冷やしておく。

② 卵黄のボウルにきび砂糖の⅓量を入れ、よく混ぜる。

③ ②のボウルに米油、バナナを加え、泡立て器でさらに混ぜる。

④ 米粉とベーキングパウダーを③のボウルに入れて、泡立て器で粉気がなくなるまで混ぜる。

⑤ 冷蔵庫から卵白の入ったボウルを取り出し、底に保冷剤を当て、ハンドミキサーを使ってメレンゲをつくる。途中、２回に分けてきび砂糖を入れ、ツノがピンと立つくらいまでしっかり固めに泡立てる。

⑥ 泡立ったメレンゲの⅓量を④のボウルに入れ、泡立て器でメレンゲの泡が消えるまでよく混ぜる。

⑦ 残りのメレンゲも⑥のボウルに入れ、泡が残らないようにゴムベラで全体を混ぜ合わせる。

⑧ 生地を型に流し入れ、型ごとテーブルにトントン、と打ち付けて空気を抜いてから、オーブンで約35分間焼く。

⑨ 焼き上がったら、型のまま逆さまにして冷ます。完全に冷めたらナイフを使って型から外す。

納戸の本棚には、児童書や絵本だけを並べている。長く読み継がれる本の前に立つと、自然に背筋が伸びる。

懐中電灯、ヘッドライト、ソーラーパネル、ポータブル電源、アルコール式ポット、川の水も濾過できる浄水器、カセットコンロとストーブ、ポリタンク、テント、寝袋……他にも非常食や非常用トイレなども物置や床下に分けてしまっている。どれだけそろえても安心なんてできないけど、停電になってもモバイル機器を充電できる道具を手に入れたことは、少しだけ心強さにつながった。

コートを主役に着こなしを考える

夏以外の３シーズンは、コートをコーディネートの軸にする。デザインも色もベーシック、でもちょっと印象的なロング丈コートを数着そろえておけば、他は定番アイテムでいい、というのが今の考え方。

落ち感のある素材でリラックスした着心地のmizuiroindのコート。全体が重たい印象にならないように、ボトムやバッグに白を合わせる。

evam evaのコートは、ガウン風の襟元がやわらかい印象。身長があるからこそロングコートを積極的に着ようと思った、きっかけの１着。

娘の入学式用に購入したSOEJUのノーカラーコート。オケージョンだけでなく日常的にも着やすいデザインと素材感で、期待以上の活躍ぶり。

NIGELLAはデザイナーさんのアトリエがご近所。このコートはinstagramで見た瞬間に心を奪われた。思いきりロング丈だけど、着心地は軽い。

ベーシックだけど ラフすぎないバランス

襟元やパンツ丈、アクセサリーも、自分に似合う「型」を持っておくと、衝動買いの失敗が減る。ベーシックなアイテムでもラフになりすぎないように、というのが最近意識していること。

ユニフォームのように着ていたシャツが最近なんとなくしっくりこなくて、カットソーを着ることが増えた。ボートネックは顔まわりがすっきり見えるし、胸元を気にしなくていいのがラクに感じる。

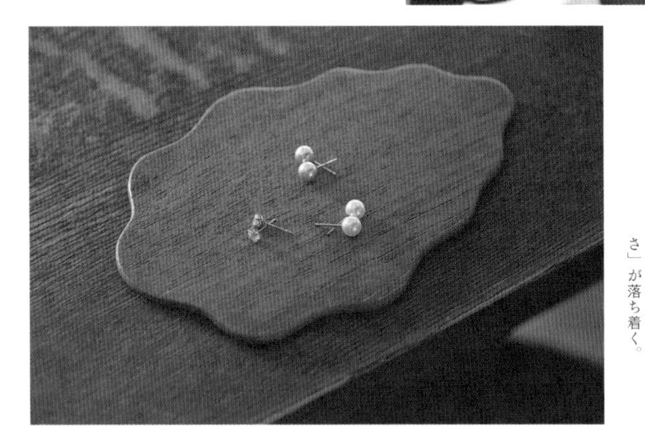

マスクが日常になってから、ピアスはスタッズ型ほぼ一択。車で駅前まで、電車で遠方へ。どちらの外出でもダイヤかパールをつけておけば、まず後悔しないし、これくらいの「気にならなさ」が落ち着く。

「地震に遭っても歩いて帰れる」という条件と、洋服との合わせやすさから絞り込んだ靴。他にスニーカーとサンダルが1足ずつあれば、今は十分な気がしている。奥の列、左のブーツはBlundstone、右2足はエバゴス、手前2足はショセ。

パンツの形は、ワイドパンツやスキニーが流行ろうとも、「くるぶし丈のテーパード」が基本。左はdress herself、中央と右はSOEJU。これにマニッシュな靴を合わせるバランスが好き。

どこかに「軽やかさ」がほしい

シンプルな服が着ていて落ち着くけれど、ただ無難なだけではつまらない。色か、素材感か、スカーフの柄か。どこかに気分の上がる要素を入れて、軽やかさも感じるおしゃれができたらいい。

ニットは、品質とコスパのよさの面から、近年はユニクロのメンズで買うことが多い。アイテムによって合うサイズが違うから、買うときはじっくり試着して、よほど気に入ったら色違いでそろえる。

できれば全身の半分、せめて3分の1程度は白にすると、気分がしゃっきりする。とくにコートの色が重めのときは、ボトムを白にする。デニムは無印良品、スカートはPLAIN PEOPLE。

今あらためて良さを見直しているのがシルクのスカーフ。とくにエルメスは、母や義母から受け継いだもの、30代のころ買ったもの、比較的新しいものも全部カッコよくて、その普遍性に惚れ惚れしてしまう。

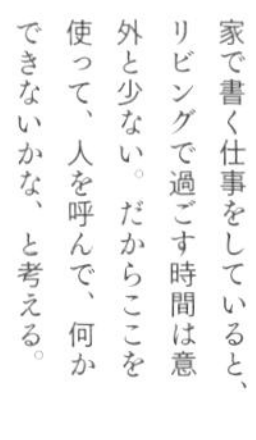

家で書く仕事をしていると、リビングで過ごす時間は意外と少ない。だからここを使って、人を呼んで、何かできないかな、と考える。

カウンターの上には家族の写真、後ろの壁には夫のイラストを飾っている。この小さなコーナーから、家の体温が生まれている。

仕事部屋は、台所の隣にある4畳半。東向きに窓があって、朝からお昼までは明るいから、仕事はなるべくその時間帯に。

娘が幼いころに手づくりした服のハギレを縫い付けたカーテン。今は納戸に吊るしていて、いつか娘が家を出るときは持たせる約束をしている。

梅と松の他、杏、ハナミズキ、あじさいなどが順に咲いてゆく庭。春夏は芝生の草むしり、秋冬は落ち葉掃きに追われるけれど、手をかければ、ちゃんと心癒す眺めとなって労に報いてくれる。

コンポストをはじめてから、ごみは減り、庭はイキイキして、いいことしかない。肉の骨や卵の殻は、分解に時間がかかっても、いずれは土に還っていく。

本を見ながら1人で続けてきた金継ぎ。完成にこぎつけるたびにうれしくて、うつわへの愛着も増す。教室に通ってプロに教わりはじめてからは、この修復法の奥深さにますます魅せられている。

第4章　変える

肩書きってむずかしい

29歳で会社を辞め、フリーランスとして活動をはじめてから10年以上に渡って、「フリーエディター」という肩書きを名乗っていた。

もともと出版社のファッション誌編集部にいたから、企画書は書いてきたし、担当するページの絵コンテも描けば、特集のタイトルも考える。キャスティングや取材申請といった業務も、ひと通り経験している。

初めての仕事先に、自分がそれまでに手がけた雑誌のページをまとめたポートフォリオ、ちなみに2000年初頭のころはそれを「ブック」と呼んだものだが、そうした作品ファイルを持っていくと、たいてい「出版社にいたということは編集からやってもらえるんですよね？」と確認されたし、そんなことが続くうちに、「ライターよりもエディターと名乗ったほうが、できる仕事の範囲が広いと思われて重宝されるのかもしれない」と感じた。

ところが、いざフリーエディターとして仕事をはじめてみると、まず「エディター」は「ライター」とくらべて、言葉として相手に通じにくいと感じることが多かった。そもそも音の響きひとつとっても、「ライター」のほうがクリアだ。取材先にアポ入れの電話をするときなど、最初に「エディターの小川です」と名乗ると、わたしの滑舌のせいもあって、2回に1回くらいの確率で聞き返されてしまう。そのときは「ライターの小川です」と言い直していた。
「ライター」と聞けば、「文章を書く仕事なのね」とうちの親でもわかるけれど、それに対して「エディター」は、なんとなく業界専門用語っぽいというか、「作業としてこんなことをやる人」という像がパッと浮かびにくい。

実際、編集の仕事というのは多岐に渡るので、あれもこれも何でもやるのだけれど、なんかこう、もっと伝わりやすい肩書きってないのかなぁ。なんて悩んでいるうちに面倒になってきて、「ライター」と名乗っていたら、フリーランス仲間の友人から「ライターを編集の下の立場みたいに考えている人もいるから、ちゃんとエディターって名乗ったほうがいい」と注意されたこともあった。ありがたい指摘だけれど、ますます面倒くさくなってしまった。

それでというわけではないのだけど、あるときから、職業名をカタカナから漢字に変え、「編集者」「文筆家」としてみた。でも正直、その肩書きにもどことなく居心地の悪さを感じながら、今に至る。

漢字の肩書きにしたきっかけのひとつは、自らの著作を出したことだった。

ずっと雑誌をメインに働いてきて、出産後も、量はコントロールしながらもやっぱり仕事のほとんどは雑誌の編集だった。

そんななか、2013年に『家がおしえてくれること』という書籍を出版した。その本は出版社から出すわたしの最初の著書だったし、企画から持ち込んですべて書き下ろした渾身の1冊だった。

しかし出版社にとっても、書店にとっても、それは膨大な出版物のなかの1冊にすぎないという現実に、すぐに直面することになった。

わたしは、本をつくったら、それを売るところまで関わらせてもらいたかったし、営業だってどんどんするつもりでいたのだけれど、その意欲は初めての著書の出版に浮き足立つ作家側の空回りであることに、まもなく気づいた。

本は、制作中と発売後しばらくはかわいがってもらえても、出版社、書店、そして読者にとっても、すぐに過去へと流れていき、次の新しいものが求められる。

担当編集者はわたしの営業への意欲をありがたいと言ってくれたし、できる範囲で販促活動もしてくれた。けれど、本を1冊出したくらいでは、しかもそれがベストセラーになる可能性は低いとなれば、この地味な作品を時間をかけて売っていこうと本気で動くことを、自分の他に期待することなどできない。

それが、肩書きをカタカナから漢字にするきっかけにどうつながるかというと、今思えば照れくさいのだが、「これ1冊で満足せず、これからも本気で書籍をつくり続けていこうと思います」という自分なりの決意表明のつもりだったのだ。
「エディター・ライター」と名乗っているかぎり、それまでのバックグラウンドも含め、ファッション誌をメインに仕事をしている人という印象を周囲に与えがちで、そうした仕事の依頼が続く。

もちろんありがたいし、好きな仕事でもあるのだけれど、当時はまだ娘が幼かったのと、都内の打ち合わせに出かけるのに１時間以上かかる郊外に引っ越したばかりというタイミングも重なって、雑誌のエディターとして従来通り働いていくことに、体力的にも精神的にもしんどさを感じはじめた時期でもあった。

もう20代や30代のころのように、起きている間ずっと仕事をしていられるわけではない。限られた時間で仕事をしなくてはならない身で、そのうえで書籍という新しいフィールドに挑戦するならば、雑誌の仕事は当面しぼるのが自然な流れだろうと、そのときは思えたのだ。

その第一歩として、雑誌のイメージにつながりやすいカタカナの肩書きをやめてみたのだけれど、「エディター」を「編集者」にするのはいいとして、今度は「ライター」を和訳するのがむずかしい。書籍を３冊くらい出したところでようやくプロフィールに「文筆家」と書くようになったものの、なんとなく、高級な服を似合わないのに無理して着ているような気はずかしさが、いまだにある。

文章を書くことに関しては一点の曇りもなく好きで、だから文章を書くことで仕事ができるのであれば、書籍でも雑誌でもウェブでも、また肩書きにしたって、伝わりやすければ何だっていいと、今では思っている。

そのこだわりのなさは、自分の本をつくりながら空回りをいっぱいするうち、また年令を重ねたこともきっと無関係ではなくて、だんだん肩の力みがとれてきたということなのかもしれない。それに現実問題として、インタビューの仕事をするときはやっぱり「ライター」という肩書きが便利だから、積極的に使っている。

そういえば前に写真家の友人が、わたしが読むとは思わずに書いたであろうブログで、さりげなくわたしのことを「文章家」と紹介してくれていた。それを見つけたときは、自分ではノーマークだった服を、勧められるままに試着してみたら意外と似合ったときのように、新鮮なうれしさがあった。けれど、肩書きに「文章家」って書くのはどうも勇気がいるのである。なんでかな。

noteにしてもinstagramにしても、あるいはメディアの取材を受けて掲載していただく機会でも、プロフィールにはわかりやすい肩書きが必要だ。

そのとき「文筆家・編集者」と名乗ってみたところで、自分の立場を明快に伝えられている手応えもないし、でもそれはフリーになって以来ずっと抱いているモヤモヤでもあるのだ。

そのうちもっとしっくりくる肩書きを見つけるのか、増やしたり、減らしたりなんてこともあるのか。自分がやりたいことをやる人生を選択した先に、こうした肩書きに対する悩みがついてくるなんて、考えてもいなかった。

そして今、こうして書きながらふと思ったのは、あのとき肩書きをカタカナから漢字に変えたことって、わたしの仕事の歩みにどれくらいの影響があったのだろうか。

少しはあったような気もするけれど、それはまた思考の空回りで、やってもやらなくても、道は同じだったような気がしなくもない。

でも、肩書きに見合う自分でありたいと、現状に満足しない時点で、やっぱり少しは影響があったと見ていいのかもしれない。だったら、この居心地の悪さも、まったく無意味なものではない、ということか。

これから着たい服の条件

クローゼットの整理をしたことで、ずいぶんと服の出し入れがしやすくなった。

ハンガーが、ポールを左右にすいすいと滑るクローゼットは、風通しがよくて、そこにかけられた服もどこかうれしそうに見える。

断捨離ともいえる大がかりな整理をくぐり抜けた服たちを眺めていると、もう一段階、削ぎ落としてもいいような気がしてくる。昔は、服をたくさん持っていることがおしゃれの証だと信じていた気もするけれど、いつからか、その意識は180度変わった。わたしの変化なのか、時代の変化なのか、その両方かもしれないが、今は、少数精鋭で、持っている服はすべて１軍。いつも同じような服を着ているように見えても、それが似合っていればいいし、他人から見た印象がブレないほうがカッコイイ、と思う。

もうひとつ変わったのは、ひと目見て「あ、どこそこの服だな」とわかるような服は着たくない、ということだ。「あのブランドやショップが好きそう」「あの雑誌が好きそう」とか、「ナチュラル系」や「モード系」などとカテゴライズされやすいファッションにも、少し抵抗を感じてしまう。

これは、ファッション誌の仕事をしていたころと明らかに変わった部分、というか、意識としては真逆といえる。なぜなら当時は、身につけるアイテムは仕事相手とのコミュニケーションツールであり、自分というキャラクターを伝え、理解してもらいやすくするための大事な道具だったから。

たとえば、初めて会う相手と、偶然にも同じブランドのものを今シーズン買ったという共通点が見つかれば、短時間で打ち解けやすいし、お互いに好きなテイストの確認にもなる。ある意味、身に着けるものに自分がとても助けられていたし、その力を借りていたと思う。

それが、なぜか今は、服にそうした役割を求めていない。おしゃれの意欲はあっても、選びたい服の条件が変わってきたのだ。

第１に、「このブランドを着ていればおしゃれに見える」なんて安心は、どこにも売られていないと心得るようになった。

実は、具体的に何を着るかは、おしゃれの一要素に過ぎなくて、またゴールでもない。服の他に、健康そうな肌や体、笑顔、TPOに合っていることなど、いくつかの要素がそろって、おしゃれで素敵な人という像はつくられる。服ばかりが前に出てしまって、その奥にある人としての輝きが見えなければ、どんな高価な服も意味をなさない。だから究極的には、服のことなんて忘れさせてくれる、それくらい着る人にとっては自然で、他人の目からもなじんで見える服が、理想的なんじゃないか、と思うようになった。

そういえば、以前あるトークイベントで聞いた、ファッションブランドのディレクターの方のお話に「すっごくわかる！」と膝を打ったことがある。

その内容は、「以前なら、たとえば好きなロックバンドのＴシャツを着ることが、自分の趣味を周囲に伝える役割を果たしていた。けれど、今はそんなことをする必要はない。誰もがSNSで自分の世界観を表現でき、それを通じて同じ趣味の仲間やファンをつくることだってできる。もはやファッションで自己主張する時代じゃないのだ」……と、ざっくりいえばそういう話だった。

そんな時代に、ファッションブランドとしてどんな服をつくるかという課題について、いろんなヴィジョンを展開されていたのだが、要は「誰が着てもその人らしく見える服をつくる」ということなのかなと解釈した。

ティーンエイジャーになったばかりの娘を見ていると、なんてことのないＴシャツとデニムを、メイクもアクセサリーもなしに無造作に着ているだけで、ハッとするほど絵になることに驚かされる。若さという、生命体としての圧倒的な輝きが、服の存在をも消し去る勢いでオーラを放っているからなのだろう。

でも、年を重ねた者にだって、若さとは別のオーラがあるはずなのだ。

たとえば人間的な丸みや穏やかさ。あるがままの自分と他者を受け入れる寛容さ。茶目っ気やユーモア。おもしろいことを教えてくれそうな知性とやさしさ。生活を楽しんでいそうなしあわせ感やハツラツ感。

そうした大人の魅力が自然に醸し出されるような、そんな服がいいなと、漠然と思っている。と同時に、気づかされる。つまりは大人になると、内面を服ではごまかせない。内面が充実していて初めて、服も人も輝いて見えることに。

大人のおしゃれがむずかしくて悩ましいのは、きっと、服と体型の問題だけでは済まないからなのだ。何を着るか、それ以上に、どんな自分でいたいのか、という広い視野に変える必要があるからなのだ。

その一方で、やれ、肉がたるんできただの、肌がくすんで見えるだの、大好きだった服がいつのまにか似合わなくなっているだのと、現実的でシビアな問題が次々と噴出する。だからやっぱり、大人のおしゃれはタイヘンである。

松戸、マイ・ホームタウン

2010年から家族で暮らしている千葉県松戸市は、わたしが４歳から24歳までを過ごした出身地でもある。これまで49年間の人生で、３分の２に相当する年月をこの土地で過ごした計算になり、その比率は、今後もっと増えていくはずだ。

松戸は、都心部に通勤するサラリーマン世帯の住民も多い、いわゆるベッドタウン。銀座や上野、浅草など、東京東部のエリアなら１時間足らずで行けるし、千代田線に乗れば１本で行ける表参道や原宿には、中学生になるころには子どもだけで遊びに行っていた。つまり、東京の隣県とはいえけっこう便利な場所なのだが、世間的にも、住民の意識も、この街に対するイメージや評価は、これまであまりいいとはいえなかったと思う。それは、わたしのなかでも。

昔の記憶で妙にはっきりおぼえているのは、ティーンエイジャーのころ、雑誌をお手本にめいっぱいおしゃれをして東京に出かけ、帰宅の途に着くたびに、地元への不満が胸のなかにくすぶったことだ。

自分の家があるのは、なんと中途半端でつまらない場所だろう。都会でもなければ、空気がおいしい田舎というわけでもない。東京にぶら下がるみたいに存在している、これといった特徴も、自慢できる何かもない街。こんなエセ東京じゃなくて、ちゃんと本物の東京で暮らしてみたい。

その気持ちは年齢とともにふくらんでいくものの、大学も、卒業後の勤め先も実家から十分通えてしまう距離で、おかげでわたしは、地元愛のようなものをまったく知らないまま大人になってしまった。

24歳のとき、中途入社で入った出版社は、雑誌の好景気が追い風となって、わたしが配属されたファッション誌も、売上記録を毎月更新するほどの絶頂期を迎えていた。隔週刊だったため、毎週入稿と校了を交互にくり返すハードな日々。編集長も編集部員も20代と30代しかいない若い職場で、遅くまで働いた後、同僚と夕食に行き、そこでお酒も飲んで、終電やタクシーで帰る、といった生活だった。

当時の実家には、３人の子どものうち、残っていたのは末っ子のわたしだけだった。姉はすでに嫁ぎ、兄は地方勤務だったからだ。同居していた父方の祖父母は、隠居生活ではあったが２人とも元気で、50代の両親はそれぞれ企業に勤め、出世街道を突き進む働き盛り。そこへ就職したばかりのわたし、という３世代５人の所帯。働いていた母に代わって孫たちのごはんを20年つくりつづけてきた祖母は、世話を焼く対象がわたしだけになり、その子の帰宅時間が毎日遅いと言っては心配を募らせた。両親は、雑誌のテイストに合わせようとがんばっていたわたしの服装や髪型が、社会人として自由すぎると、顔を合わせるたびに小言がうるさい。子どもが１人になったせいで、大人たちの目が一身に注がれる立場になってしまった息苦しさから、「ここを出て、のびのびと自由に暮らしたい！」という思いが、いよいよ強くなっていった。

ある日、両耳に念願のピアスを開けたことで両親からこっぴどく叱られ、とうとう決意が固まった。わたしは会社から通いやすい街に１人暮らし用の物件を探し、さっさと引っ越してしまったのである。月給をもらいはじめた24歳の怖いもの知らずな決断と行動に、今も後悔はないけれど、あのとき残された祖父母と両親の気持ちを考えると、せつなさに胸がぎゅっとなるのも事実だ。

それでも、憧れの東京１人暮らしは、とことん楽しかった。実家からは１時間強かかっていた通勤時間が30分になり、どんなに遅くまで仲間と店で飲んでも、タクシーで千円も出せば帰れる自分だけの家。毎月のお給料からそこの家賃と光熱費を支払い、料理をおぼえ、インテリアを思い通りにした。38歳でまた松戸に戻るまでの14年間の東京生活で、三軒茶屋周辺で４つの家に住んだ。

モスグリーンのプジョーの自転車を買い、休日はそれにまたがって、渋谷、下北沢、三宿、代官山、中目黒まで買い物に出かけた。今となっては不思議な感情だけど、１人暮らしの部屋のベランダから、家がぎゅうぎゅうにひしめきあっている世田谷の住宅地を見下ろすのが妙に好きだった。視界を横切る国道246号線を眺めながら、空気の澄み方にも、夜の明るさや騒がしさにも不満なんてなくて、それより自分は１人で東京で生き、その生活を心から楽しめているという満足感に浸っていた。

わたしが30歳を過ぎたころ、姉が２人の娘を連れて、都内から松戸へ引っ越した。夫の単身赴任や子どもの小学校入学といった事情を聞きながらも、なぜ再びあの中途半端な街へ戻り、実家のそばで暮らそうなどと考えるのか、東京で１人暮らしを満喫する当時のわたしには理解ができなかった。

両親はまだバリバリの現役サラリーマンだったが、子どものうちの誰かは親のそばにいるべきだという長女としての自覚もあったのだろう。それに、わたしと性格がまるで違う姉は、１人暮らしの経験もなければ、そもそも１人で暮らしたいと考えたことすらない人で、夫が不在でも、歩いて行ける距離に実家がある安心感は、それだけ十分、松戸に戻る動機となったようだ。実家に帰るたびに「しばらくぶりに住んでみたら、松戸もけっこういいよ」と屈託なく笑う姉を見ながら、そんなものですかねぇ、と、まだ斜に構えているかわいげのない妹であった。

そういうわたしは34歳で結婚し、36歳で出産した。娘が２歳になるまで暮らした家も、世田谷というエリアも大好きだったけれど、家賃は高かった。共働きを前提に借りていたのに、わたしが出産前のようなペースでは働けなくなると、その金額の重圧がぐっと大きく感じられるようになった。これから働きかたが変わっていくなら、いつまでもここにしがみつくようにして住み続ける必要もないのかな、と、これまで考えもしなかったことを、だんだん考えるようになった。

その変化の背景にはやっぱり子育ての現実があって、たとえば実家の母を頼りたい状況になるたび、1時間半もかけて手伝いに来てもらうのが、申し訳なかった。その母から、「松戸に家を探したらどうなの。そうしたらわたしたちも、お姉ちゃんも頼れるわよ。子どもはやっぱりワイワイした環境で育てるのがいいものよ」と言われたとき、自分でも不思議なくらいにあっさり「そうかも」と思えた。

あれほど不満とコンプレックスを持ち、抜け出したくてたまらなかった地元に、まさか戻ることになるなんて。昔の自分のくすぶり具合を考えたら信じられないけれど、たぶんわたしはもう、気が済んだのだ。「東京で暮らす」という夢を1度は自分の手で叶え、その日々を満喫したことで。

そうして地元に戻ってみると、昔はイヤだった、「都会でも田舎でもない中途半端さ」が、今は逆に魅力として映り、妙に居心地がいいのである。

とくにわたしが家を見つけた地域は、川をはさんで東京と隣り合っていながら、たっぷりの緑や土に囲まれたのどかな場所である。周囲には古い農家さんと田畑があり、高い建物に遮られない空は、夕焼けがとてもきれいだ。そんな環境のおかげで、地元愛のような感情が年々育ってきて、今ではもう「どこよりもここが最高」とさえ思っている。住めば都とは、まさにこのことだろう。

磯丸水産
24時間
磯丸水産
SAPIX
平岡歯科医院
平岡歯科医院 4F
4F
Daily

実家とは車で20分ほど離れているので、地元といっても幼少期の同級生が近所にいるわけではなく、娘の保育園や小学校を通じて、新しく知り合った家族との付き合いが多い。そのなかには、子どものころから松戸を離れないまま、今は親となってここで子育てをしている人もいるし、松戸に縁はなかったけれど、気に入って東京から引っ越してきたという人もいる。どちらのケースとくらべても、わたしの松戸愛はもう少しひねくれているのだけれど、それでもやっぱり、住む場所を自分で決められる立場になったときに松戸を選んだ、という点は共通していて、そういう人たちとは何かがちゃんとつながりあえる感覚がある。

今のわたしは、20代のころにあれほど求めた都会的な洗練を、自分が暮らす場所にほとんど求めていない。そうなってみて松戸という場所にあらためて向き合ってみると、いいところがたくさん見えてくる。東京と比べて土地も物価も安く、自然も残っていて、農家さんの野菜も直接手に入る。いい具合に肩の力の抜けた店主やおもしろい店も次々と現れてはいるけれど、競争意識みたいなものはあまり感じられず、人も土地もどこかのほほんとしている。東京まで出なくても地元でこんなに楽しめる日がくるなんて、30年前は予想もしなかった。

都心まで出かけた日、電車で帰ってきて駅のロータリーに降り立つと、心からホッとしている自分に気づく。その感覚は、10代のころ、原宿から帰ってきて急に白けた気分になっていたのはまったく違う。お世辞にも品がいいとはいえない駅前のゴミゴミとした風景にさえ、「これが松戸だよなぁ」と愛着を感じる。

東京から客人を迎えるときも、都心からのアクセスもいいこの街が、不思議なくらい野暮ったい雰囲気を保っていることを自虐しながらも、「でもそこがいいのよね」とどこかで思っている。

わたしがこうした地元愛を手に入れるには、どうしても一度はここを離れる必要があった。それを実践したことも含めて、きっと何ひとつ間違っていなかったと思えることが、今はちょっと誇らしい。

アクセサリーリメイクという新しい世界

コロナ禍の前から在宅ワークだったから、生活の意識や価値観が、自粛生活で大きく変化したかというと、実はそうでもない。

とはいえ、外出や人に会う機会は減ってしまったわけで、そうすると、単に着飾るために身に着けるものの出番は減った。

おしゃれは好きだけれど、他人を唸らせるほど斬新で高度な着こなしをするタイプでもない。おまけに、家から出ない日は、「汚したくないと思ってしまう服は家事がしづらい」という意識もはたらいて、結局は動きやすくて洗いやすい、リラックス感はあってもだらしないってほどでもなかろう、といった服ばかり着ている。

そんな毎日では、アクセサリーって、べつにしなければしないで生活への支障はほとんどないものである。それでも身に着けると、どんなにさりげないピアスであっても、その影響力はけっして小さくはないと感じる。

たとえば、Tシャツにゆるっとしたパンツを着ていたとして、ノーアクセサリーなら、それは見るからに部屋着だけれど、大きめのフープピアスをすれば、リラックスカジュアルというファッションとして、ギリギリだとしても成立する。

そう考えると、生きていくのに必要最小限のもの以外に、なくても困らないけど、あればちょっとだけ活気づく、そんな何かを加えることが、おしゃれの第一歩といえるのかもしれない。

実は、こう見えてわたしは、アクセサリーがけっこう好きである。服がいつもシンプルだし、メイクもたいしてしないから、何か小物を着けないと、いくら近所の外出でも装い感に乏しすぎて、自分の気持ちも盛り上がらない。

だから、ちょっと駅前まで買いものに、なんてときも、ピアスやリング、バングルなどを必ず着ける。うっかりつけ忘れると、パジャマで歩いてるみたいに落ち着かない気分になって、早く帰りたくなる。いずれも石や金属の質感を生かした、削ぎ落とされたデザインのものばかりだけれど、着けているのといないのとでは、見た目にはたいした違いはなくても、本人の気分がまったく違う。

長引く自粛生活でも、服はほとんど買っていないのに、新しいアクセサリーはいくつか手に入れた。といっても、いわゆる新品ではない。親から受け継いだ装飾品から石だけを取り出して、リメイクしたのだ。

このアクセサリーリメイク、やってみると、楽しさもうれしさも想像以上だった。好きなアクセサリーブランドの商品を買うという、これまでの買い物の形式から１歩先に進んで、今の自分にフィットした方法を手に入れた、という感じ。

初めてのアクセサリーリメイクは、母からもらったダイヤモンドの指輪を、普段も着けやすいデザインに変えたときだった。

宝飾品のリメイクを請け負ってくれる専門業者をネットで探し、希望のデザインでオーダー制作してもらったところ、出来上がりを見た母は、「こんなことができるのねぇ」とすっかり驚き、感心していた。

その様子を見ていた父が、衣装部屋の奥から「これもあげるから、好きなようにしなさい」と木の箱を持ち出してきた。

箱の中身は、たくさんのタイピンやカフスボタン。約50年に渡ってスーツを着て会社に通う生活を送った父は、おしゃれがとても好きな人で、ネクタイやワイシャツと合わせて、タイピンとカフスボタンも毎日替えていた。大きめの天然石がついたもの、シックなグレーの真珠やカメオがあしらわれたもの、母が奮発してプレゼントしたものもいくつかあり、２人は箱からひとつひとつ取り出しながら、「これはあのとき買ったものだ」「この石はなかなか貴重だよ」などと、懐かしそうな表情を浮かべている。

タイピンやカフスボタンのままでは使い道に困ってしまうけれど、リメイクという手段を持っている今のわたしにとって、それらはとても魅力的なお下がりだった。だからありがたくいくつか選ばせてもらって、持ち帰った。

実際にリメイクしたのは、１年近く経ってからだ。ちょうど、精神的にしんどいことがたてつづけに起こり、わたしにしてはめずらしく、お守りにすがりたいような心境のときだった。

肌に身に着けられて、「これがあるから大丈夫」と思えるようなお守りがほしい。そんな切実な願いに答えが差し出されるように、ふっと頭に浮かんだのが、昨年父からもらってきたタイピンやカフスボタンだった。

しまっておいたアクセサリーケースを開けると、その瞬間、大粒のオパールのカフスボタンとパチッと目が合った気がした。

それはとても不思議な感覚で、手のひらにのせて石の模様をじっと見つめていると、不安でざわついていた気持ちが、やがて少しずつ落ち着いてきた。

わたしの父は健在だけれども、父を含め、わたしを心配するすべての人たちが、石の向こうからエールを送ってくれている気がしてくる。パワーストーンの世界にはほとんど関心がなかったけれど、ひょっとして石が好きな人って、こういう感覚なのだろうか。

心を鎮めてくれたオパールという石が、パワーストーンとしてはどんな効力があるのか、興味が湧いてネットで調べてみると、「ポジティブで自由なエネルギー」「クリエイティブ」「寵愛」「アンチエイジング」など、開くサイトによっていろんな解説に出会う。そうした記事をいくつも見ていくうちに、今わたしが手にしているのは、オパールの薄片を人の手で貼り合わせたモザイクオパールで、つまり天然石としては分類されない石だとわかった。

　ということはつまり、ここまで読んできた石の意味や効能はどれもあてはまらないわけだが、もはやそんなことは、どうでもいい。わたしが今、この石に吸い寄せられるように見入ってしまい、しだいに心が穏やかになってくる、その感覚はたしかなのだから。

　そのオパールのカフスボタン２個を、お守りがわりに身に着けられるように、リングとバングルにリメイクすることにした。

　他人に見せるためのファッションアイテムではないから、手頃な価格のシンプルなデザインでいい。そんな、ぼんやりとしたイメージを思い描きながら、「モザイクオパール、リング」とネットに打ち込んで画像検索してみると、天然石を使った素敵なアクセサリーを制作しているハンドメイドクリエイターのサイトに行き着いた。プロフィールを読むと、「受注制作、修理、リメイクも承ります」と書いてあり、いい予感に胸が高鳴る。

　コンタクト欄に相談内容を書き、オパールのカフスボタンの写真を添付して送ると、翌日には返信が届いた。真面目で誠実な人柄がにじむ、女性クリエイターの感じのいい文面をワクワクしながら読むと、文章の最後に「お父様から譲り受けたカフスボタンのリメイク、素敵ですね」と一文が添えてあり、「この人にお願いしたい」という思いはたしかなものとなった。

　サイズやデザインの相談をメールで何度かやりとりした後、先方にオ

サラリーマン時代に父のワイシャツの手元を飾っていたオパールが、リングとバングルに形を変えて、わたしの日常に引き継がれた。

パールのカフスボタンを送ると、約束の２週間後、素敵に生まれ変わったリングとバングルが届いた。

さっそく指や手首にはめてみると、オーダーメイドだから当然といえばそうだけれど、体にぴたり、とおさまった。その寄り添うような感触は、「これは正真正銘、わたしのためのお守りなんだ」という実感を強くさせた。

その後、心を乱していた心配事は、厚い雲が風でサーッと切れるように解決した。もちろんお守りを身に着ける以外に、現実的な対処にも動いたけれど、実際に願いが叶ってみると、どこかで目には見えない力がはたらいたように思えてしまう。いつからか雑誌の占いページすら素通りするようになっていた自分は、わりとリアリストだと思っていたのに。

リメイクは、すでに存在している古いものを、新鮮な気持ちで使い続けることを可能にしてくれる魔法だ。時間と思いの宿る品が、人の手から手へと渡る過程にストーリーが生まれ、譲る人も、譲られる人も、そのバトン役としてリメイクを手掛ける人も、みんなの心があたたかくなる。

だからリメイクしたアクセサリーは、他のアクセサリーとは位置づけが少し違う。どこにも出かけない、家族以外の誰にも会わない日でも、わたしの指や手首には、青い大粒のオパールが輝いている。

もちろん、今この話を書くためにキーボードを打っている手にも。それが目に入るたびに、なにか大きくてあたたかいものに、支えられているような気持ちになる。

デスクワーカーの筋トレ

朝ヨガの習慣や、節酒のこと、グルテンフリーを実践している話なんかを書いていると、いかにも健康意識が高いようだけれど、もともとわたしは、そんな人ではなかった。

子どものころからインドア派で、今も基本はそうだ。30歳を過ぎてヨガをはじめるまでは、今よりもっとしまりのない体をしていたと思うし、自分が40代になって健康な体づくりに励む未来予想図など描きもせずに、ハードな仕事のごほうびという名目で毎晩お酒を飲んでいた。

でも今は、何かに耐えたごほうびとしてのお酒やごはんは、必要ない。なぜなら好きな仕事をして、できるかぎりストレスを排除したいと心がけているし、それはかつてのような目まぐるしいスケジュールで働くことに充実感を得る生き方から、もっと気持ちのいいほうへ、と引き算をくり返すことで手に入れた生き方だから。

マイナスの状態を、ゼロやプラスに強引に引き戻すために食べたり飲んだりするのではなくて、「ちょうど満たされている」という意味でのゼロをキープするように、仕事も暮らしも食べ方も調整したい。それは簡単なことではないけれど、はみだしたらなるべく早めに軌道修正、と決めておけば、手遅れになるほど体がくずれてしまうことはないだろう。

2020年に出版した『直しながら住む家』という本は、エッセイの原稿をスタンディングワーク、つまり、椅子に座らず立って書く、という方法で執筆した。

ブックデザインを担当してくれたデザイナーさんがスタンディングワーク実践者で、最初の打ち合わせの時に、立って仕事をすることの利点を聞かせてくれた。するとむくむくと興味が湧いてきて、真似してみたくなったのだ。

「最初の１、２週間は足腰が疲れますが、それを乗り越えると体が楽になって、仕事のパフォーマンスがめちゃくちゃ上がりますよ」と言われていた通り、たしかに最初の数日はちょっと疲れたけれど、その後はいいことしかなかった。

いちばんよかったのは、集中力が上がったこと。立っているとダラッできないし、そうするとネットサーフィンもしない。とにかく今、目の前にある原稿を書き上げようと、スイッチがパチンと入る感じ。

体の姿勢とともに、意識のほうもシャキッとさせて仕事モードで書くのは、わたしの場合、どの文章の執筆にも適するわけではないけれど、そのときはテーマが家づくりの話と決まっていて、文字数も指定されていたため、思った以上に書くのが捗った。その結果、執筆期間の短縮によって、進行が予定よりだいぶ前倒しとなり、これなら１か月前に発売できたね、と担当編集者さんやデザイナーさんと笑いあったくらいである。締め切りが迫ってみんなピリピリ、とは真逆の、スタッフ全員に時間と心の余裕がある状態は、わたしが理想とする本づくりのかたちだ。

また、時間の速さ以外に、立って書くことで、文体などに何か変化があるのだろうか、という点に興味があったのだけれど、編集者さんに「歯切れのいい感じが増した気がする」と言われた。デザイナーさんが「スタンディングで仕事をすると、決断が早くなりますよ」と言っていたのが、そうしたかたちで表れたのかもしれない。たしかに、エッセイを書きながら「こうかな、ああかな、いや、どうかな」と迷うこともなく、パシーン、パシーン、と狙った場所に投球が決まっていくように文章が書けたような気もする。だからいい文章、というほど単純な話ではないけれど、煮詰まらずに書けたのが爽快だったことは事実だ。

体力面では、もっとはっきりと効果があった。執筆が秋から冬にかけての時期で、冷え性のわたしは家のなかでもフリースアウターにムートンブーツで過ごすほどだが、スタンディングワークをしていると、座りっぱなしで原稿を書いているより寒くなかった。長時間立っていて足がだるくなってくると、自然に腰回りを動かしたりするので、いつもより血流が滞らないのだと思う。

そういえば雑誌で読んだ冷えとりについての記事に、冷え性でデスクワークの人は湯たんぽを入れた段ボールに足を入れるといいと書いてあって、１日試してみたのだけれど、自由に動けないことで体が重くなる感じがして、自分には合っていないと感じた。そのタイミングと、スタンディングワークを勧められたのがほぼ同時だったので、やっぱりわたしは体を動かすやり方で、冷えや体力低下に向き合うべきなのだろう、という結論に達した。

世は空前の筋トレブームで、「筋肉は裏切らない」というキャッチフレーズとともに、さまざまな筋トレ法が紹介されている。

ヨガに出会う前のわたしなら、きっとそれを完全に他人事としてスルーしていたことだろう。でも今、「へぇ、やってみようかな」とすぐ試してみたくなるのは、以前よりも筋肉がついたことによって、心までオープンに、また柔軟になったせいだと思う。

自分の体が好きなんて、生まれてこのかた一度も思ったことはない。けれど、日常的に運動をするようになってからの心の状態は、昔の自分より気に入っている。

忙しさの質

「忙しい」という言葉は、「仕事が充実している」と同義と捉えられることが多くて、とくにフリーランスになってからは、「もう忙しくて」とこぼすと、たいてい「それはいいことだ」「ご活躍でなにより」と返されるようになった。

実際に30代前半までは、忙しいかどうかは、仕事の混み方次第だった。でも今は、塾や習い事に通う子どもの母親として、また親が高齢になってきたことによっても、わたしの毎日は忙しい。仕事だけ見れば、少なくとも自分のキャパシティにおいては忙しいうちに入らない。そんな程度の仕事量でも、子どもと親のためにバタバタ走り回る時間が加わると、バリバリと自分のやりがいだけで働いていたころに匹敵するほど忙しく感じるし、心配事はもっと多い。同じ「忙しい日々」でも、その質が、今と10余年前ではずいぶん変わったなと思う。

かつては忙しいぶんだけ収入も増えたものだったが、なぜか今はお金にならない、むしろお金が出ていくことばかりで忙しいことにも気づいている。そんな愚痴を家族や友人にもらすと、「じゃあ、昔と今、どっちがしあわせ？」と聞かれる。そんなとき真剣に考えてみると……答えは「今がしあわせ」なのだ、驚いてしまうことに。

10月は、娘と、わたしの両親の誕生日が同じ月に集中していて、しかも娘と父の誕生日は２日続いている。

娘の誕生日は週の真んなかの平日、しかも塾がある日で、帰宅できるのは夜８時近く。それでも当日にごちそうとケーキでお祝いをすることに、本人も親も、まだこだわりたい。ずいぶん前から、当日食べたいメニューとして、唐揚げ、キッシュ、さつまいもチップス、スープも何か、といった具体的なリクエストまでもらっていた。

ケーキはこれまで基本的に手づくりしてきたものだから、今年もそうしたのだが、午後から汗だくで準備したわりに、夕食は30分足らずであっさり終了。台所の片づけを終えたときには、もうヘトヘト、グッタリだった。

翌日は、実家で父のお祝い、娘のバレエ、さらに義母を美容院へ連れて行く用事までが重なってしまい、夕方４時から８時まで、２キロ圏内にあるバレエ教室と実家、義母の高齢者用マンションを車で行ったり来たり。父のお祝いのごはんのケータリングも引き受けてしまったので、この日も昼間から台所に立ち、つくった料理をアタフタと保冷バッグに詰め込んで出かけた。

実家へ行くと、父の友人まで集まっていた。幼いころからお年玉をもらったり、入学や就職祝いをいただいたおじさんたちである。「奈緒ちゃん、すっかりお母さんだなぁ」と目を細めるおじさんたちの相手をしつつ、スマホの操作方法を教えたり、父のパソコンの住所録の整理を手伝わされたり、そうこうしているうちに、義母をまた美容院に迎えに行かなきゃ、おっと、ちょうど娘のレッスンも終わる時間だわと、すべての任務を終えて、後部座席に娘を乗せて家に帰るころには、「40代後半にもなると、こういう忙しさもあるんだなぁ」と、なんだか自分の１日の奮闘ぶりがおかしくて、笑ってしまった。

今のわたしのエネルギーは、ほとんど家族のために使っている。30代前半までは、何も考えていなかったけれど、自分自身のためにすべて使っていたんだと思う。

もちろん楽しかったし、充実していた。でもいずれ、家族のために今ほどエネルギーを使う必要がなくなったときは、次は他人や社会のために使いたくなる気がしている。具体的に何ができるのかはまだわからないけれど、もともと献身的な性格にはほど遠い、身勝手なわたしでも、年を重ねていくと自然にそういう気持ちになるんだな、ということだけははっきりわかる。

このまったくスマートじゃない、生活臭プンプンの泥くさい日々は、もしかしてそのための準備なんじゃないか。そんな視点を持つと、やっぱり昔より今のほうがしあわせに感じるのは、強がりではなくて本心なのだろう。

その証拠に、目まぐるしい２日間を終え、くたくたに疲れて車のハンドルを握りながらも、ふとラジオに合わせて鼻歌なんて歌っていたりするのだ。

第5章　はじめる

風の時代に扉を開く

2021年がはじまった。

昨年の正月は清々しい気分で迎えたものだが、その月末には大型クルーズ船内に新型コロナウィルス感染者が確認され、それからはあっという間に世界中に感染が広がって、全国の小中高校の休校要請、緊急事態宣言の発令と、2020年はパンデミックに怯えながら過ぎた1年だった。

さて、今年はというと。

目先の生活だけ見れば、あと数日で娘の中学入試がスタートし、ここから約1か月は、緊迫感あふれる日々を送ることにはなるのだけれど、数か月前までこのときを恐れていたほどには、自分が怯えていないようにも感じる。もうここまできたらなるようにしかならないよ、という開き直りもあるし、もうひとつ、最近読んだ本のおかげもあるかもしれない。

それは『「風の時代」に自分を最適化する方法　220年ぶりに変わる世界の星を読む』（yuji ／講談社）という1冊。

コロナによって、つい最近までの「当たり前」がそうではなくなり、「ニューノーマル」や「ニュースタンダード」に戸惑いながら、みんながこれからの未来に不安を抱えて揺れている。自分ももちろんそうだった2020年の終わりに、地球と宇宙の暦ともいわれる占星術では、世界が220年ぶりに時代の大転換期を迎え、「土の時代」から「風の時代」に入った。

この本を読むと、これまで幾度もくり返されてきた時代の流れから見れば、もしコロナでなかったなら別の何かが吹き荒れ、やはり世界はそれまでの価値観を大きく変えざるを得ない局面に立たされていたはずだ、と納得できる。

それだけで、今直面しているこの混乱は、必然というか、起こるべくして起こっているものなのかと、少し不安も薄れるのだ。もちろん、コロナに感染して重症化してしまった方や、逼迫する医療現場で働く方々まで安易にくくってはいけない話だというのは前提のうえで。

本の中盤以降では、自分の出生時間や出生地から生まれ持った星のタイプを知り、そのタイプ別に風の時代への適応しやすさや、どのように適応すればいいかのアドバイスが書かれている。さらに、12星座別のガイドも掲載されている。

自分の星の調べ方が本に詳しく載っているので、それに沿ってはじめて自分のホロスコープを調べてみた。すると、西洋占星術における「火」「土」「風」「水」という四つの元素のなかで、わたしの星には火のエレメントが最も多く、次に多いのが風のエレメントという「火ー風」タイプだった。全部で12タイプあるなかで、「火ー風」は、「風ー火」型に続いて、風の時代への適応力が高いらしい。逆に、適応力がそこまで高くない人は、どうすれば適応しやすくなるか、という対処法も書いてある。

また、12星座別の運勢も、わたしの星座である獅子座のページを読むと、ここ数年の間に自分のなかで起こってきた気持ちの変化は、まさにこうした方向へ進むための準備だったのだなと、まるで答え合わせをしているような、そしてその答えはちゃんと合っていたとわかってホッとするような、不思議な感覚だった。

端的にいうと、わたしはこれから「扉を開く」らしい。これまでこもっていた自分の王国から、外に向けて。

そして新しい人々や業種とのつながりにワクワクとした楽しみを見出していくらしい。

言われてみれば、今予定されているいくつかの仕事はどれも新しい相手と組むもので、ひとつひとつがすごく楽しみなのだ。それに、子育て最優先に生きてきた12年間のクライマックスともいえる中学受験が、結果はどうあれ来月には終わる。それからは、仕事と子育ての割合を変えていきたいとずっと思っていたわけだし、そうしたこともすべて、風の時代の流れと合っているじゃないか。

今、わたしたちの目や耳に入ってくる情報の多くは、気持ちを落ち込ませるものばかりだけれど、星のめぐりから見れば、世界が向かう方向はけっして絶望すべき場所ではない。むしろ新しい風が吹く、今よりも生きやすく過ごしやすい場所かもしれないのだ。ただし、風にうまく乗ることができるならば。

では具体的に、どのようにしてその風に乗っていくのか。迷ったときにはこの本を読み返しながら、計画を立てていくこととしよう。

iPadで読書

自分用のiPadを買った。目的は、電子書籍を読むためである。

タブレット端末は、ここ数年、実家から譲り受けたものを一応持ってはいたが、コロナ禍前は電子書籍を読むことがほとんどなく、たいして使っていなかった。

けれど最近は、外出自粛生活で書店に足を運ぶ頻度も減り、タブレットで読む機会が増えた。そんなタイミングで故障してしまったものだから、すぐに買い替えを決めたのだが、購入を後押しした理由が、もうひとつある。

それは、SNSから流れてきた、文部科学省による令和2年版科学技術白書についての友人の投稿だった。「『2032年にはすべての書籍が電子ブックとなり、紙の本が消滅する』という予測がショックだ」と書いてあり、気になってネットで調べてみると、すぐに文科省が正式に発表した資料にたどり着いた。

そこには、すべての書籍が電子化される日として、社会的実現時期が2032年、科学技術的実現時期は、その４年前の2028年と予測されていた。

つまり、この先10年前後で、技術面だけでなく人々の意識においても、本を電子版で読む形式が浸透する、という見通しが立てられているのだ。自分の頭のなかではいつごろのつもりだったのか、と聞かれると言葉に詰まってしまうが、イメージしていたより速いスピードであることはまちがいない。

この未来予測について解説したYouTubeを見つけたので見てみると、「科学技術白書の未来予測の的中率は、過去のデータからすると7割ほどで、それなりに高い確実性」という話だった。まったくの眉唾ではない、というわけだ。

実際、わたし自身、コロナをきっかけに、以前のように「本は絶対に紙でないと」というかたくななこだわりはなくなりつつある。

世のなかの流れからずいぶん遅れていることは承知なのだが、タブレットで電子書籍を読むことに、ずっと抵抗があった。そもそも、その行為を「本を読むこと」としてうまく捉えられなかったのだ。

これまでは、新しい本を買って読みたいと思ったら、書店で買うか、ネットで取り寄せるかの2択だった。でもタブレットを購入したことで、そこにダウンロードするという選択肢が加わった。すると、電子書籍に対する自分の先入観や思い込みは、いい意味で裏切られた。

iPadでは現在、差し迫った中学受験に関する書籍やマンガをダウンロードして読んでいるのだが、これがとてもいい。使い方として、向いている気がする。

ある時期は浴びるようにして次々に類書を読みたいけれど、半年後にはおそらく役目を終えているであろう本というものがある。わたしの場合、仕事の資料などでそうした本の必要が生じることが多いのだけど、よほど「これは個人的に欲しい」という本以外は、まず中古で探して、また古本として手放してきた。高く売れるケースなどまずないから、買うのも安く済めばありがたい。けれど、本のつくり手の側からすれば、もちろん新刊で買ってもらえたらそれがいちばんうれしい。わたしはどちらの気持ちもわかる。

古本で買ったけれど、読んでみたらものすごくよかった、おかげで救われた、という本はたくさんあって、そういうときは、古本で購入したことが著者に対して申し訳ないような気持ちになる。そうした「この本は古本じゃなくても全然よかった」というジレンマが、電子書籍にはない。

電子版は紙の本より100～200円程度安いケースが多いけれど、基本的に古本という概念がない。だから購入するときは、作品を苦労して完成させた著者と出版社に、きちんと対価を払っている感覚がある。

とはいえ、紙の本が好きだという気持ちは変わらないし、古本屋さんの友人だっている。これまでの読書体験において、古本屋さんに並んでいたからこそ出会えた大切な本もたくさんあるから、古本はもうなくなってもいい、なんてことは全然思わない。わたし自身がついこの間までそうだったように、物質としての手触りがない電子書籍では、本を読むという実感がどうもわかないという人だって、これからも一定数いるだろう。

でも、実際に読みやすいタブレットで電子書籍を1冊読んでみたら、その満足度は紙の書籍と比較しても遜色のないものだった。心に深く刻まれるような読書体験をさせてくれる本は、紙だろうが電子だろうが、その力は変わらない。この感覚を味わえてよかったし、それは本を書く側にとっても心強い、うれしい発見でもあった。

デジタルによる広く届ける力が、思うように外出できない状況においては、とても頼りになることを、わたしたちはすでに知っている。

紙の本を1冊届けるために配送業者の方がCO_2を排出しながら駆け回らなくていい。本が物質であるかぎり、つくる、売る、買う、読む、といった楽しくて魅力の詰まった面以外に、輸送、陳列、返品、在庫管理、最終的には廃棄処分といった表からは見えにくい面もあり、そのひとつひとつに、人手と設備、その分のコストや環境負荷が生じる。それらを省く方向へと大きく舵を切る時機が、このコロナ禍のタイミングと重なることは、容易に想像がつく。

だから「未来予測」というにはやけに至近で具体的な文部科学省の発表にも、冷静に向き合いたいと思うのだ。

あと10年そこそこで紙による本が消滅するというと、新しく出版される本がすべて電子版になる日も、そう遠くはないということになる。

たった10年で「本を読む」という形式がそんなにガラリと変わるもの

だろうか、と疑いかけて、ふと、自分が出版社で働いていた20年前、やっと会社のパソコンでおそるおそるメールを使うようになったときのことを思い出す。個人の携帯電話を持っている人だってまだまだ少なかったのに、あれから20年で、小学生までスマートフォンを操る時代になっている。

フリーランスになって自宅で仕事をするようになってからも、パソコンでメールの送受信はしていたが、しばらくはテキストのやりとりだけで、PDFやJPEGファイルの添付が当たり前のようになったのは、感覚としてはごく最近だ。ページのレイアウトの確認も原稿の校正も、FAXと電話を使って行っていた記憶が、今もはっきりとある。

それなのに今は、自宅にFAXを置いていないのだ。これまでもそうした変化に、少なくとも自分自身はたいした苦労もなく適応してきたことを考えたら、この予測もたしかに、そう盛った話ではないのだろう。

でも、新しい紙の本がつくられなくなっても、これまでつくられた紙の本までがすぐになくなるわけじゃない。それにつくること自体は、環境に配慮する姿勢を持ちながら個人的活動として続けることはできるはずだ。

時代の流れは、地球や自然や人間の営みから生まれていて、よい悪いなんてきっとない。その流れに軽やかに乗る生き方も、自分の思う道を進む生き方も、１人１人が決めること。

いずれにしても、時代が進化していくことは、何かを捨てたり置き去りにしたりすることではなくて、選択肢が増えて、より状況に合った方法を選べるようになることだと信じたい。

だから今日も、iPadと紙の本の両方を持って、家じゅうをウロウロしながら、本を読んでいる。

勉強からはじめよう

長年契約している生命保険の会社からプランの変更を勧められたことをきっかけに、すったもんだしながら保険内容を根本から見直した件（P.26）が、ようやく終わった。やれやれである。

「ほけんの窓口」にも行ってみた。生命保険会社の説明よりも格段にわかりやすくて、感動した。他社への乗り換えも可能性に入れつつ、アドバイザーの女性にも手伝ってもらいながら比較検討した結果、とりあえずしばらくは、これまでの保険会社で、ゼロからプラン変更するという結果に落ち着いた。それでも、わたしも夫も保険料を45％も安くすることができた。

もちろん保障内容は従来のほうが手厚かったわけだが、現在の年齢と、ガンや手術や入院で保険を使う事態の可能性をじっくり考えながら、毎月の支払い額と保障内容を納得のいくバランスで契約し直したので、後悔はしないと思っている。

しかし今回の１件は、なかなか骨が折れたのと同時に、学びも多かった。なかでもいちばんの学びは、「わからないことはわからないとはっきり伝え、わかるまで説明してもらうこと」、「相手に説明してもらってわかった気にならず、自分でも調べたり復習したりして芯から理解すること」だった。これってまさに、日ごろ娘の受験勉強を見ながら、わたしが口を酸っぱくして言っていることと同じである。

実際、生命保険の仕組みや内容について調べようと決めたとき、わたしは30年ぶりの受験勉強みたいな真剣度で挑んだ。

それくらい真剣に調べ物や準備をすることは、仕事ではよくある。でも仕事ではないこと、しかも家探しや車選びのように、そこにワクワク感が含まれているわけではないものに、それほどの気合いで臨むことは、そうそうない。

でも、「知らないってすごく怖いことかもしれない」とヒヤリとした感覚を味わったことが原動力となったし、「絶対にわかってやる」という意気込みで勉強すると、素人にもわかりやすく保険の仕組みを解説してくれているネット記事はたくさん見つかり、読めばするすると理解が進んだ。つくづく便利でありがたい時代だと思う。

われわれ夫婦の保険の見直しを横で見ていた母が、途中から「なんだか自分も多く払い過ぎている気がしてきたから、この機会に見直したい」と言い出した。

そこで、短期間の猛勉強で保険の知識をつけたわたしが、母と保険会社の打ち合わせに同席したところ、わたしよりずっと会社員経験が長く、複雑な書類を読むことにも慣れているはずの母が、「生保用語」のややこしさに途中で何度もギブアップしそうになっていた。

その都度わたしが担当者に、「すみません、今の話ってこういうことですか」「よくわからないので、そこをもう１回説明してください」と脇から口をはさんだ。そうやってひっかかる部分はたいてい、保険会社側に有利なからくりが潜んでいるケースが多いことにも、途中から気づいた。

なんとか最後まで投げ出さずに見直しを完了すると、両親ともに１割程度、保険料を安くすることができた。

こちらが無知だったときにはすごく感じのよかった保険会社の人が、最後のほうはわたしに「すっかりお詳しいですね」「よく勉強されていますね」と苦笑いしていたのが印象的だった。

いじわるな深読みかもしれないけれど、契約者がみんな保険を勉強して詳しくなってしまったら、保険会社側にとってそれは脅威ではないだろうか。「よくわからないけど、そちらがお勧めするなら、きっとそれが安心なんでしょう。おまかせします」という契約者こそが、ありがたいはずなのだ。そしてわたしも母も、これまではそんなありがたい契約者だった。

もちろん契約者には、将来入院や手術をすることになって保険金をもらう可能性があるわけだが、たとえば携帯電話みたいに、契約した日から毎日そのサービスを使うわけではない。そのサービスを受ける日が果たしていつやってくるのか、きたとしても、契約している保障内容でどこまでカバーできるのかは、契約する時点では誰にもわからない。「不安と安心に払う金額」を決めて、毎月、何十年もかけて払っていく。その総額と、実際に受け取る金額の曖昧さにモヤモヤする気持ち。それが保険の特殊さであり、むずかしさなのだとつくづく思った。

もうひとつの学びというか収穫は、わたしが勉強する楽しさを思い出したことだ。

ちょうど今、自分は経験していない中学受験算数のむずかしさにタジタジとなりながらも娘といっしょに勉強している日々なので、「わからなかったことがわかるようになる快感」になおさら敏感になっているのかもしれない。

わたし自身は15歳と18歳の２度経験した受験勉強で、当時はすごくがんばって勉強をした記憶はあるけれど、そもそも勉強することが好きと嫌いとか、あまり考えたことがなかった。

でも、知らなかったことを知る、わからなかったことがわかるようになるのは、大人になってもやっぱりうれしいことで、それによって視界が昨日までより一段階クリアになるような感覚は、爽快ですらある。

それに、30年前に受験勉強をがんばった経験が、知らないところでわたしを支えてくれているのかもしれないと、この年になって思えたことも新鮮だった。娘にも、「がんばったことは絶対に無駄にならないよ」と実感をもっていえるし、親も子もそれさえわかっていれば、最終的に受験の結果がそのまま成功と失敗を分けることにはならないんじゃないか、とも思ったり。

これをきっかけに、なんであれ、まずは本を読んだり講座を受けたり、人に話を聞いたりして、地道に勉強することをはじめてみたいと思う。なんだかそういう「ゼロからスタート」ということに、胸が躍るのだ。

コンポストからはじまるエコ生活

2021年春、ずっと興味があったコンポストを、ようやくはじめた。

庭のある家に暮らしていても、グリーンフィンガーとは限らない。こう見えてわたしは、植物を育てるのがヘタだ。

そう告白すると、ときには意外がられたりもするけれど、けっして謙遜ではない。この家に暮らして、庭いじりも、鉢植えの世話の習慣も、やる気はあるのに、なかなか身につかないまま10年以上が経ってしまった。

自宅で仕事してるんだから時間はあるでしょう、と思われがちだが、庭の規模もそれなりなので、そう単純な話ではないのだ。水やりをしに庭に出ても、虫にやられている枝を見つけてしまったり、雑草が気になったり、短時間ではなかなか切り上げられず、思いがけず時間を食われるのが庭仕事というもの。だから週末の午後いっぱいかけて作業するのを月に1、2回できたらいいほうで、平日は、これまでは娘を小学校に送り出したら、下校してくるまでの7、8時間でなんとか仕事と家事をこなそうと必死だった。そうした生活に、日常的な庭いじりを組み込む余裕はなかなか持てなかったというのが、こちら側の苦しい言い分である。

葉っぱの元気がなくなってしまってやっと異変に気づき、慌ててケアする、というダメ庭師だから、わたしに育てられる植物たちは、自己再生力がないと生き延びられない。そんな過酷な環境でも、毎年梅は咲いてくれて、芝生も生えそろい、気まぐれに買ってきて育てる鉢植えたちも、5割くらいは翌年以降も花を咲かせてくれる。これまで耐えてくれた健気な植物たちに恩返しをすべく、娘が中学生になって日々のスケジュールが変わったら、庭師としての姿勢を立て直すぞ！　というのが、ここ数年のわたしの誓いのひとつであった。

さて、庭の話はこれくらいにして、本題のコンポストに戻る。

ゴミを減らすための具体的なアクションを今すぐ起さないと地球が危ない、という危機感は、人並みにあったつもりだ。

レジ袋が有料化となる数年前からマイバッグは持ち歩いていたし、ペットボトルも買い控えるように心がけていた。けれど、それはあくまでプラスチックゴミを減らすための行動であって、ゴミ処理場がいっぱいで減らさなければいけないのは生ゴミだって同じことだ。

地球のゴミを減らすためには、各家庭から出るゴミの量が減ればいい。家庭系ゴミの3割以上を占めるといわれる生ゴミが、コンポストによって減らせるという話はあちこちで見聞きしていたものの、家庭菜園に熱心なわけでもない庭いじり劣等生に、コンポストはハードルが高いのでは、と尻込みしていた。

　そこへ、SDGsを特集したテレビ番組を見たら、都心のマンションのベランダでも実践できるコンポストを開発した会社が紹介されていて、これならできそう、という気になった。忘れないように、スマホのメモにその商品サイトのリンクを貼っておいた。

　娘の中学受験が無事に終わり、これからはやりたかったことひとつひとつに着手していこうと腰を上げた3月、件のコンポストメーカー「ローカルフードサイクリング」のウェブサイトから、定期便のコンポストを申し込んだ。

　ペットボトルと廃プラスチックの再生生地でつくられたバッグに、生ゴミの発酵と分解を促進する基材を入れ、そこに日々の料理で出る生ゴミを入れて混ぜるのをくり返す。使い方がシンプルでわかりやすく、見た目もスマートな商品である。

「風通しがよく、雨に濡れない屋外に置くように」、という説明に従って、勝手口の横にガレージで使っていたワイヤーラックを置き、そこをコンポスト置き場にした。

　はじめたのがまだ寒さの残る時季だったため、1週間以上経ってもコンポストの分解がはじまっている様子が見えなかったのだが、サイトのQ&Aにもちゃんと書いてある通り、しばらくすると表面に白いカビが生え、バッグの底をスコップで掘り起こしたら、ホカホカとした湯気が立ちのぼるようになった。

これがなかなか感動もので、生ゴミと基材が混ざり合って発酵すると微生物が有機物の分解を開始し、その活動熱でコンポスト内が温かくなるのだ。せいぜい幅50センチ程度のバッグのなかに、毎日出る生ゴミがどんどん吸収されていくのも魔法みたいだし、入れた2、3日後には跡形もなくなっている食材もあれば、肉の骨やたまねぎの皮、卵の殻などはいつまでも残っていたりするのもおもしろい。ファスナーでバッグの口をしっかり閉じるため、臭いがもれたり、虫が寄ってきたりという問題は、気温が高くなってきても悩まされるほどではなかった。

コンポストをはじめる前は、週3回ある燃やせるゴミの回収日には欠かさずゴミ出しをしていたのが、生ゴミをコンポストに回すようになったことで、ゴミがたまるスピードが信じられないほどゆっくりになった。

毎晩、夕食の片づけを終えた後に、このバッグのファスナーを開け、その日に出た生ゴミを入れてスコップでかき混ぜるのが新しい習慣になった。

すると、集積所に持っていく回数は10日に１回か、２週間に１回と大幅に減少。生ゴミ以外は水分のない紙がほとんどだから、かさのわりに軽いし、暑い季節のゴミ箱周辺のコバエや悪臭も減った。

コンポストは、満タンになったら生ゴミの投入をストップして、熟成させる。その間も、水分補給とスコップでかき混ぜるのだけは数日おきに続け、３週間ほどすると、日々の生ゴミが栄養たっぷりの堆肥に生まれ変わっている、という仕組みだ。

出来上がった堆肥は、赤土などと混ぜてハーブや野菜を育てる土にしたり、庭木や鉢植えの追肥にしたりして使うのだが、毎晩生ゴミを入れてかき混ぜながらつくった堆肥が何やら愛おしくて、「あなたたちの養分で、庭の植物たちを元気にしてちょうだいね、頼んだよ！」という気持ちがフツフツとこみ上げてくる。コンポストのおかげで、新たに気持ちを入れ替えたわたしの庭づくりも、こうして幸先のいいスタートが切れたのだった。

そういえば以前は、植物を育てるために専用の土をホームセンターで買ってくる必要があり、それが億劫だったけれど、堆肥と再利用の土でオリジナルの培養土がつくれることから、土の用意についてのハードルは逆に下がったといえる。

そしてゴミ出しの回数が減る、つまり生活から出るゴミが減るのは、エコであることを別にしても、単純に清々しい。その気持ちよさを知ってしまうと、燃やせるゴミに加えて、プラスチックゴミもこれまで以上に減らしたくなってくる。

ちょうど、ゴミ回収業をしながら芸人をしている滝沢秀一さんのマンガ『ゴミ清掃員の日常』（講談社）を夫婦で読んだこともモチベーションアップにつながり、分別をさらに徹底することにした。かさばる食品トレーは近くのスーパーのリサイクルボックスに出しに行くようにしたら、週１回の回収でもパンパンだったプラゴミの袋が、２週間に１回でも余裕が出るようになった。この回数も今後どこまで減らせるか、まだまだ挑戦したい。

生ゴミのコンポストから堆肥をつくり、それで野菜や庭木を育てるとなると、次は生ゴミの純度をなるべく上げれば、自分の口に入るものも庭の環境もよくなるではないか、という発想が生まれてくる。

そんな頭のなかから何かのシグナルを発していたのか、偶然にも、近所で無農薬野菜づくりに励んでいる地元の若い農家さんと出会い、野菜は彼らから直接購入することに決めた。これまでも買い物は、市場や直売所でなるべく地元の新鮮なものを買うようにしてきたけれど、農家さんに配達や取り置きをお願いすれば、旬の無農薬野菜が確実に手に入るようになる。

毎晩コンポストにゴミを入れてかき混ぜるのは、今日食べたものを確認する時間でもある。

わが家の料理と食事から出た余りを、バッグのなかで、せっせ、せっせと分解して土の栄養に変えてくれている微生物の姿を、立ちのぼる湯気や指先に伝わる熱から想像しながら、１日の家事を終える。

そのときのほのぼのとした充足感、目には見えないけれど地球上にたしかに生息する生き物に対する敬意は、コンポストがある暮らしによってもたらされたものだ。

アラフィフ、断食に挑戦する

娘の受験が終わったうれしさから週末のお酒も解禁して、家のごはんでもおやつでも、「がんばった自分にごほうび」と調子に乗っていたら、マズイ、太ってしまった。

増えたのは1.5キロほど。これくらいすぐ戻るわ、と甘く見ていたら、なかなか戻らない。数年前までは、2、3日粗食にすれば、1、2キロはすぐに戻った。が、今回は1週間粗食を意識しても、減らない。たかだか1.5キロが！　もしかして、これがうわさの、アレですか。アラフォー以上のダイエット談でおなじみの、「昔みたいにはやせられない」ってやつ。

やばーい、どうしよー……と1人暗く沈んでいると、夫もお風呂上がりにしばらくぶりに体重を計ったらしく、「あーあ、やせちゃったよー。けっこう食べてるのになー。お通じよすぎのせいかしらん」などと呑気に言いながら、脱衣所から出てきた。

あぁ、もう本当にイヤになる。冷え性でむくみやすく、太りやすいわたしと、モリモリ食べているのに、油断するとすぐやせてしまう、謎すぎる体質の夫。

いっしょに暮らしはじめたとき、わたしは10日であっという間に３キロ太ったという恐ろしい過去があるのだ。あのときも青ざめながら、「この人に合わせて食べてたら太る」と学び、慌ててコントロールしてすぐに戻したが、あれは30代半ばのことで、まだ子どももいなくて、融通の効く生活だった。

わたしは身長が168センチ、体重は50キロ台後半、つまり四捨五入すると60キロになってしまうが、実際の重量は決してそのラインを超えてはいけない、と自らを戒めている。

食べ盛りと受験ストレスが重なった高校３年のときは大台に乗ってしまった時期もあるし、20代で気合の入った置き換えダイエットをしたときは短期的に52、3キロになったこともある。しかし、両親やきょうだいもみな筋肉質の運動体型というDNAのせいか、すぐリバウンドして55、6キロに戻った。

過去20年でいちばんやせていたのは、36歳の出産直後。妊娠中は７キロしか太らず、娘の母乳の飲みっぷりもよかったせいで、乳の供給役だったわたしは、食べても食べても55キロを越えることがなかった。

当時はどんな服でもスルスル入ると自分では喜んでいたのだが、夫からも、姉や両親からも「なんか不健康だ」と評判がよくなかった。授乳による慢性的な寝不足と栄養不足が原因のやせ方だったろうから当然かもしれないが、当時はまだファッション誌の仕事をしていて、やせたきれいなモデルさんを日常的に目にしていたし、やせることは正義ですらあった。なのに、業界の外の人にとっては必ずしもそうではないんだなと、そのとき知った。

なかでも夫は、いっしょにテレビを見ていて、「これくらい細い体ってホント理想だわ」とわたしが思うようなプロポーションの人でも、「やせすぎ」と一蹴する。

彼は彼なりに自分のやせ体質にコンプレックスを感じながら生きてきたので、女の人は、細い人よりも健康的な肉づきの人のほうが好きなのだという。わたしはよい相手と巡り合ったことに感謝すべきだろう。

とにかく、そんなパートナーを持ち、健康意識がやたら高い実家の姉や両親からの助言もあるものだから、わたしは産後のやせ状態をスタンダードとする野望はあきらめた。とくに姉から「自分の適正体重よりやせすぎると風邪をひきやすくなるからね」と釘を刺されたときは、ドキッとした。というのも、当時は産後で免疫力が低下していたせいもあって、冗談かと思うくらいしょっちゅう風邪をひいていたのである。

しかし自分で調整するまでもなく、娘の授乳が終わると、また太りやすい体質に戻ってしまい、免疫力は、ヨガの習慣や食生活の改善で風邪をひきにくくなったことから、やはり自分は50キロ台前半の人ではなく、後半の人なのだろうと受け入れることにした。

毎年の健康診断のたびに、500グラム程度の増減をくり返しながら、40代に入ってからは、57キロ台までならよし、58キロを越えたら節食、という意識でやってきたのだが、この重量帯は、まったくの個人的事情だが、本当に油断がならない。なぜなら、わたしがうっかり2キロ太ってしまい、ヤバイ、59キロ！　となったとする。

夫は180センチで62、3キロがスタンダードの、どこからどう見てもやせ型で、おまけに前述したとおり、たいした理由もなしに２、３キロくらいすぐにやせてしまう人だ。すると、わたしがちょい太った、夫がちょいやせた、というタイミングが運悪くかち合うと、わたしと夫の体重がかなりきわどいところまで肉薄してしまう。身長は12センチの差があるというのに！

これがたとえば、漫画『小さな恋のものがたり』のチッチとサリーみたいに、２人にもっとずっと身長差があって、旦那さんがヒョロッと長身、奥さんが小柄でコロッとしてる、なんてバランスだと、セットで見たときに微笑ましいのだが、うちの場合、わたしが高身長、おまけに体格もがっしり系なため、たくましくて強そうな奥さんと、やせっぽちで頼りなさそうな旦那、という対比がよりいっそう際立つ。

まぁ、傍目にはそれもおもしろいかもしれないが、その印象も回避できるものなら一応まだあがきたい。って、もう手遅れかもしれないけれども。

もちろん、夫とのバランス云々だけでなく、更年期のせいにしていた、体がいつもどんより重たい感じが、減量によって解消できるならば、それに越したことはないのだ。

というわけで、久しぶりにダイエットすることにした。食事制限は、2年前の夏にグルテンフリーをはじめたとき以来である。

ちなみに、あのときはダイエットが目的ではなかったが、2か月ほど続けたころに体重が2キロ落ちた。その後も食生活ではゆるめのグルテンフリーを継続しているものの、体重のほうはじわりじわりといつのまにか戻ってしまった。

今回のダイエット法に選んだのは、SNSから聞こえてくる評判で気になっていた「月曜断食」である。すぐに書籍『月曜断食』（関口賢／文藝春秋）を買い、熟読してからスタート。せっかちなので、なんでもスタートダッシュは早いのだ。ただし、そのぶん飽きっぽいのがわたしの弱点である。

月曜断食のルールは簡単で、月曜日を「不食日」とし、水か白湯を飲むだけで過ごす。このとき1日1.5～2リットルの水を飲むこと。

火曜から金曜までの4日間は「良食日」で、朝食は果物とヨーグルト、昼食はおかずのみで炭水化物抜き、夕食は野菜料理。お酒も蒸留酒を適量ならOK。

週末の2日間は「美食日」。朝、昼、晩ともに、炭水化物を含めて好きなものを食べていい。

ただし1週間共通のルールとして、1食あたりの量は、咀嚼したときにこぶし2個分までに抑える。これは、人間の胃袋の本来のサイズがこぶし2個分だから、という理由。夜12時までには寝ることも鉄則だが、普段から就寝時間はだいたい10時半くらいなので、これはまったく問題なし。

さっそくはじめてみると、本やネットの体験談から覚悟はしていたものの、初回の月曜日の不食が予想通りつらい。とくに午後３時を過ぎてから、家族が夕食を終えるまでの４時間ほどは、時が経つのが、泣けるほど遅く感じる。

「まだ５時か……」「まだ５時半か……」と何度も時計を見ては、空っぽの胃をさするというせつなさ。本に書いてあるように、この不食日はさっさと寝て、つらい１日を早く終えてしまうにかぎる。そこで、家族が夕食を食べている間に本を持ってお風呂に入り、１時間ほど半身浴しながら読書して、上がって寝支度を整えたら、「すみませんが、今日は店じまいとさせていただきます」と家族に伝え、ベッドにすべりこんだ。

といっても、病気でもないのに夜８時から眠ることもできず、長編小説を手に取り、物語に引き込まれてページを繰る手が止まらないうちに、いつのまにか普段通りの就寝時間になっていた。こうして、無事に最初の不食日を乗り越えることに成功した。

ところが、試練は翌朝もやってきた。起きると、頭も体もズーンと重く、だるいのである。この感じは前にもどこかで……と思ったら、グルテンフリーをはじめたころの好転反応とそっくりである。この現象についても本にちゃんと書かれていて、普段から糖質を多く摂っている人ほど、不食日翌日の頭痛が重く出る傾向があるらしい。

そういえば、娘の受験直前期、わたしはストレスのせいで、自分でも怖くなるくらい無性にあんこを欲し、和菓子屋で豆大福を買ってくるのでは飽き足らず、自ら小豆を炊いて食べていたのである。この頭痛は、そうした糖分摂り過ぎ生活のツケというわけか。

しかし、そのダル重症状も午後からは徐々に薄れ、水曜日から日曜日までは、それほどつらいわけでもない。普段から夜の炭水化物は控えているし、朝もヨーグルトとフルーツ、ナッツを食べることが多いから、月曜に絶食することと、お腹いっぱいまで食べないようにすること以外、食生活が大きく変わるということはない。

ところが、そこに意外な落とし穴があった。普段の食生活とそう変わらないということは、体重の減り方にも劇的な変化が起こりにくいのである。

「月曜断食」は、初回は4週間を1セットとして、まずはこの期間をやり抜くことが、根本的な体質改善の条件となる。本に掲載されている体験談も、4週間以上続けた結果の減量報告ばかりで、著者の鍼灸師の先生によると、本の通りに実践すれば、4週間で5キロ減量もむずかしくない、とのこと。

わたしも週1回の不食によって、最初の2週間で2キロはやせた。そこで一応は通常の体重に戻せたことと、体脂肪率も本で理想値とされている24%になったことで気が緩んでしまい、まず、こぶし2つ分以内の量を守ることをサボりはじめた。おまけに生理がはじまるといった要因も重なった３週目から、体重がまったく減らなくなった。前日と同じ体重の日もあれば、増えている日もあって、そうなると一気にモチベーションが低下する。持ち前の飽きっぽさも顔を出しはじめ、「一応、最近増えたぶんは落とせたわけだしさ、このへんでやめちゃおっかな」と、４週目を迎える前に夫に弱音を吐く始末。

しかし、まがりなりにもつらい不食日を３回も乗り越えたのだ。もうちょっと「やせた！」という実感がほしいというのが本音でもある。そこで、やめる前に、なぜ体重が停滞してしまったのか、原因を解明しようと、開始前に読んだ『月曜断食』をもう一度ていねいに読み返してみた。

すると、もしや原因はこれか？　というポイントに目が止まった。それは「１日1.5〜2リットルの水か白湯を飲む」というルール。

この水分摂取量、不食日は守っているが、振り返ってみれば、それ以外の日はそこまでの量は飲んでいない。そこで、規定の量を、水ではなく白湯で、体を温めながら古い水分を外へ流すイメージで３日ほど飲み続けてみると、まるで何かのつまりがとれたかのように、また体重が減りはじめた。

わたしのような冷え性のむくみ体質は減量効果が出るのに時間がかか

る、という注意点も再読によってピンとくるものがあり、当初は4週間チャレンジのつもりだったのを、8週間続けてみることにした。この平均的なスケジュールではいかない感じも、まさしくグルテンフリーと同じである。

今、これを書いているのは7週目。体重はトータルで3キロ以上減り、体脂肪率は23%に。月曜日の絶食も7回経験すれば、だいぶ体が慣れてきて、火曜日朝の頭痛もほとんどなくなった。

月曜断食は、ダイエットというよりは東洋医学的養生法という考え方で、いちばんの目的は、重要な臓器にもかかわらず、食べすぎの食生活で酷使されっぱなしの胃腸を休めること、と本では解説されている。

わたしが最近増量した原因は、年々グルテンを消化しづらい体質になってきたにもかかわらず、ごほうびと例外続きでグルテン摂取量が体の許容量を超えていたせいかもしれない。日数を続けたわりに見違えるほどやせてはいないが、自分にとっての適正な体重には戻ったわけだから、ダイエットの目的は達成されたと見ていいのだろう。

断食ダイエットもさまざまあるが、断食道場に泊まりに行くのも、ファスティングドリンクを買うのもそれなりの出費が伴うのに対して、月曜断食は家にこもったまま、本を買う以外にはお金が一切かからずに取り組める点は、いいと思った。子育てに忙しい身で月曜に自分だけ不食を貫くのは強い精神力が必要な気もするが、本やネットで目にする体験談では、みなさん小さな子どもを育てながらも果敢に挑戦し、大幅な減量にも成功しているようだ。

たかが３週目で停滞したくらいで途中で投げ出しそうになった自分の弱さを認めつつ、あのとき本を読み返してよかった……としみじみ思っていたら、ちょうどテレビにトータルビューティークリエイター・川邊サチコさんが出ていて、美しき83歳が語る言葉に大いに励まされ、奮い立たされた。

「今は本当にチャンスだと思う。コロナで筋肉が衰えてしまう人もいる一方で、この時間を有意義に使うことができれば、マスクを外せるころには、きれいに輝いた自分でいられるのだから」

「コロナ太り」という言葉もすっかり市民権を得たが、太ってしまった体には、そうなった背景が必ずある。それがどんな背景であっても、ダイエットで身も心もすっきりさせるのは、何歳だって、いつからだってはじめられることだ。

とりあえず今回のダイエットは２か月を一旦の区切りとして、その後は『月曜断食』に載っている体重維持型メニューに移るつもりだ。不食は毎週ではなく、月１回以上行えばいいし、炭水化物も昼食には解禁となる。それでもし、またマズイ事態になったら不食日を増やして戻すとしよう。

生きていれば、そのときどきの状況で体重や体型が思い通りにいかないことだって

ある。もしそうなったとしても、戻す方法はあることを知っていれば、あきらめないで前向きになれる。今回のダイエットでは、シンプルにそのことを教えてもらった気がするし、むくみがとれて少しすっきりした体で夏を迎えられるのは、やはり気分がいいものだ。

金継ぎの時間

過去のブログを見てみると、わたしが初めて金継ぎに挑戦したのは、2012年の夏。雑誌『暮しの手帖』の特集に興味がそそられたのがきっかけだった。

その特集は、金継ぎ入門として、本漆ではなく新漆を使った方法を紹介していた。何の予備知識もなかったわたしは、素直に雑誌に載っているものと同じ新漆を東急ハンズで購入し、記載されているていねいなプロセスに従ってやってみた。

それが伝統的な金継ぎとは別の、手軽にアレンジされた簡易的な方法であることさえ、当時はわかっていなかったのだが、初回にしては上出来じゃないの、と仕上がりに満足できたことで、金継ぎの世界をもっとのぞいてみたくなった。だから入口としては、案外悪くなかったように思う。

その後、金継ぎに関する本を何冊か買って読むうちに、本漆を使った昔ながらの方法でやってみたいと思うようになった。本漆やテレピン油、やすりや真綿や金粉などを、ネットやホームセンターで買いそろえながら、本を教科書に、独学で挑戦してきた。

その金継ぎが今、世界的なブームになっていると聞くと、この修復法に魅了された者として、また金継ぎという文化が継承されてきた日本に暮らす身としても、うれしくなる。

なぜ自分はこんなに金継ぎに魅かれるのだろう。あらためて考えてみると、それは理屈じゃなくて、ただただその器のカッコよさにため息が出るから、という答えに行き着く。

金継ぎのストーリーは、いつだって、器が割れてしまった瞬間の悲しみからはじまる。

その傷がゆっくり、じっくりと、時間をかけて治されていき、最後には、むしろ、割れる前より素敵じゃないか、という喜びのエンディングを迎える。モノを大切にして長く使い続ける美しさや誠実さも魅力ではあるけれど、わたしはそうした道徳的な面より、もっとシンプルに、金継ぎされた器のカッコよさが好きだ。

金継ぎの施された器には、どんなにさりげない修復であっても、そこはかとない凄みや迫力のようなものが滲んでいる。それは、人の手で、思いを込めながら直した時間の積み重なりが、修復跡の奥に透けて見えるからなのかもしれない。

ただ、独学でやっていると、やはり壁がある。金継ぎは「加減」の連続で、あまりに緻密な作業なものだから、本や動画を見ても、本当にこれで合っているのか、こういうときはどうすればいいのかと、迷ったり

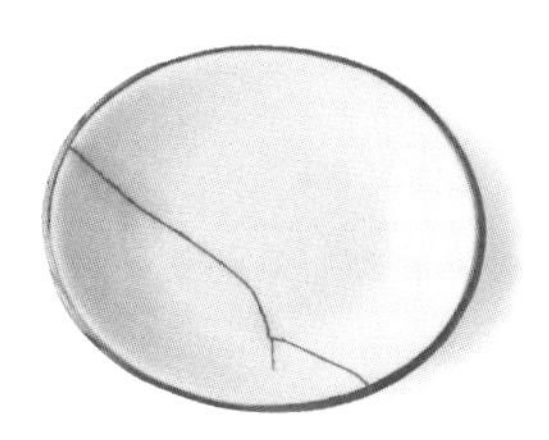

悩んだりする場面がしょっちゅうあるのだ。

やっぱり一度ちゃんと先生から習おうと、教室探しをはじめたところに、コロナ禍が起きた。自粛生活が長引くなか、それでも感染対策をしながら行っている講座や、地元にもいい先生がいるらしいという情報、また別の方面から、知人が自宅に講師を招いて少人数の金継ぎ教室をやっているという話が、ほぼ同時に伝わってきた。

そのとき、わたしのなかにぼんやりと点在していた「これが好き」と「こんなことがやりたい」が、一本の線でつながった感覚があった。

実は、2回に分けて行った家のリノベーションが終わったことで、「次はこの家を使って、何かサロンのようなことができないか」というアイデアが浮かんでいたのだった。

これまでは家族や友人や身近な人、または雑誌の取材などの目的がある人しかわが家を訪れることはなかったが、もっと間口を広げて人を迎え、家づくりやリノベーションの参考にしてもらったり、暮らしが楽しくなるヒントを共有する場として使うことができたら……そんな考えが浮かびながらも、コロナだの受験だので、そこから先の具体的なことは、宙ぶらりんになっていたのだ。

そうだ、金継ぎ。この最高に楽しくてカッコよくて、やってみようと思ったら、専門の道具と知識を要する世界を、わたしの家を使って紹介できないだろうか。

縁側と庭のある和風の家だから、金継ぎをする場所の雰囲気としては悪くない。リビングとダイニングと縁側を使いながら、月１、２回、先生を迎えて少人数の金継ぎ教室をやれたら、わたしがやりたいことと好きなこと、新しく何かをはじめたいという思いが、ひとつのかたちになりはしないか。

ただ、やはり感染リスクは避けなければいけないし、家をサロンにするための準備もしたい。慌てず慎重に、とにかくワクチン接種が行き渡った後からできれば、それでいい。

そう考えて、まずは自分が生徒として、地元の先生が指導してくれるカルチャーセンターの金継ぎ教室と、知人が自宅で行っている教室の両方に申し込んだ。金継ぎを教えてもらうのと同時に、今後の自分の活動のリサーチも兼ねているので、時間とお金の使い方として、とても有意義だと思っている。

古い建物を直しながら、愛着を持って住んでいるこの家を使って、好きなものを通じて、新しい人たちと出会っていく。

それが、山にこもって子育てをしていた12年間を終えたわたしの、山から降りる第１歩といえるのかどうか、まだわからない。

　でも、これまでやったことがないことであるのはたしかで、風の時代への適応力の高さを信じて、まずは心が誘われる方向へと、足を踏み出してみようと思う。

夢の描き方

「40代の間に『エッセイスト』って呼んでもらえるようになるのが夢」と、友人に語った日のことを、今でもおぼえている。あらためて書くとはずかしいが、当時は本気だった。

あれは38歳のとき。初めてのエッセイ本を自費出版で制作した直後のことだった。

それまで15年もの間、雑誌の編集ライターとして、主にファッションページを担当しながら忙しく働いていたため、エッセイの執筆依頼をいただく機会なんてなかった。それが偶然、キッズ誌のサイトのブロガーに誘われ、子育てブログを書きはじめたら、「自分のことを書くってこんなに自由で楽しいのか」と知った。

もちろん、自由さの代償として、ネタが自分のなかにしかない、つまり自分が空っぽだと書くものもつまらなくなるという現実を容赦なく突きつけられるのがエッセイだと思っている。それでも、誰かの顔色を伺うことなく、そのとき書きたいと思ったことをのびのびと書けて、自分が発した言葉や内容に共感してもらえることもある。「文章を書くことが好き」という原点にも立ち返らせてくれる。この楽しさを知ってしまった以上、エッセイを書かずにいられる体には、もう戻らないかもしれない。

最初の著作から10年、地道に執筆活動を続け、エッセイ本もいくつか出版したが、自分からエッセイストという肩書きを名乗るのは、いまだにどうも気が引ける。そもそもしっくりくる、または気はずかしくない肩書きさえ見つからないまま、フリーランスの年月だけが相変わらず積み重なっていくのだけれど。

そんななか、先日依頼を受けて書いた短いエッセイのゲラが届き、プロフィールは編集の方にお任せしていたところ、「エッセイスト、編集者」と書いてあって、びっくりした。いや、厳密にはこうしたことは初めてではなく、むしろ近年はたびたび「エッセイスト」と紹介していただくことがあるのだけれど、いつまでも慣れず、毎回１人でびっくりしている。

その肩書きのイメージと自分の姿がそぐわないというか、「エッセイストって聞くともっと優雅なイメージが浮かぶよなぁ」と、実像との乖離に申し訳ない気持ちになったりして。だからといって、そんな理由で肩書きを修正するように頼んだりはしない。エッセイを出版しているのだからエッセイストと認識していただいて困ることなどない。身に余る光栄を感じつつ、そのまま記事を世に送り出していただく。

でももしかすると、エッセイストが優雅なイメージだなんて思っていること自体、もう古いのかもしれない。だって今、エッセイは昔のように特別な人だけが書くものじゃなく、どんな仕事をしていても、仕事すらしていなくても、誰だってエッセイを書いて大勢の人に読んでもらうことができるのだから。たとえば、わたしがエッセイの下書きのような文章を公開するのに活用しているnoteも、エッセイストのユーザーが集まる場所といえる。今や誰もが「エッセイスト」と名乗っていい時代なのだ。

そう書きながら、最初はその断片すら頭に浮かんでいなかったことに気づいたので、いきなり話を変えてみる。

わたしは10年前のあのとき、「40代の間にエッセイストと呼ばれたい」と口にしたことで、夢が叶ったのだなぁということ。

友人に語らず、心のなかで思っているだけだったら、夢は単にぼんやりとした願望に過ぎず、時間とともに忘れてしまっていただろう。

語った相手がエッセイの仕事を振ってくれたわけでもないし、あのとき口にしていようといまいと、辿った道は同じだったかもしれない。けれど「あのとき語った夢がいつのまにか叶っている」という実感は、それを夢として語った事実と記憶があるからこそ、手にすることができるのだ。ちょっと哲学めいた理屈かもしれないけれど。

とにかく、わたしは10年前に描いた夢を、いつのまにか叶えることができたみたいだ。そのことは、淡々とくり返す毎日でかさつきがちな心を少しは潤してくれるものの、それも一瞬。もう、次の夢を探しはじめている。夢は、叶ったときより、叶えたいと思っているときのほうが楽しいものなのかもしれない。

でもひとつ、学びがあるとするなら、夢はなるべく具体的に描くのがよさそうだということ。

「40代の間にエッセイストと呼ばれる」。

内容はさておき、かなり具体的で明確だからこそ、叶ったことにも気づけたし、そうやっていつのまにか叶っていた、というくらいに小さな夢を、短い周期で描き直していくのも案外いいのかな、と思っている。

Interview

1. Yoko Imai　　2. Keico Ishizawa

Interview

グルテンフリーを試して気づいた「不調がない体って気持ちいい」

焼き菓子が大好物なのに、体質改善のために小麦粉を減らす決心をした（P.112）わたしが、無理なくグルテンフリーを続けていられるのは、料理研究家の今井ようこさんのレシピに出会えたおかげだ。著書や料理教室を通じて、おおらかなマクロビオティックの食生活を提案する今井さんに、年々注目度が高まっているグルテンフリーの魅力と、簡単でとびきりおいしい米粉のおやつレシピをおしえてもらった。

米粉メインの食生活は冷えにくく、腸もスッキリ

ヴィーガンやグルテンフリーなど、動物性の食品を使わないレシピが人気の今井さんだが、自身の体質に食物アレルギーはなく、宗教や思想上の理由でマクロビオティックを実践しているのでもない。

友人の病気をきっかけに、養生法としてマクロビオティックに興味を持ち、実際に学んでみると、その「体に自然な食べ方」という面に共鳴したのだという。

「だからマクロビをベースにしながらも、あまりストイックには考えていなくて、『動物性食品も食べたいときは食べればいい』というのがわ

たしのスタンスです。たとえば大豆ミートも、食べた後に胃腸が軽くて気持ちいいから選ぶのであって、本当は肉が食べたいけれど大豆ミートでごまかす、というのはちょっと違うかな、って。我慢するストレスのほうが、体にはよくない気がするから」

グルテンフリーのレシピは、教室の生徒さんからの要望で研究をはじめた。いざ米粉メインの食生活にしてみると、今井さん自身の体調にも変化があったそうだ。

「まず、体が冷えなくなりました。体温が上がったせいか、免疫力もアップしたように感じます。あと、腸の調子もすこぶるいい。これらの効果は、グルテンフリーをはじめた生徒さんや本の読者の方、みなさんが言いますね」

体質的に小麦アレルギーかどうかに関係なく、「米粉に変えたら体がスッキリして軽くなった」というのは、グルテンフリー実践者に共通する感想のようだ。

米粉ドーナツ

「揚げたてがふんわりもちもちで、皆さんに喜んでいただくレシピです。材料もシンプルなので、作り慣れると簡単にできます」

［材料］８センチくらいのもの　４つ分

米粉	80g
片栗粉	20g
てん菜糖	30g
ベーキングパウダー	小さじ１
塩	ひとつまみ
絹ごし豆腐	90〜100g
てん菜糖	適量

［つくり方］

①　材料をボールに入れて、生地をひとまとめにする。まとまりずらかったら、豆腐か豆乳などの水分を足す。まとまってダレない生地感になるように。

②　生地を４等分にし、棒状に伸ばしてからリング状にする。（写真1）

③　170度の油で揚げる。熱いうちに砂糖をまぶす。（写真2）

(1)

(2)

米粉のお菓子づくりは
初心者こそ挑戦しやすい

コロナ禍以降、今井さんのもとには以前にも増してお菓子づくりに関する問い合わせが増えたという（自宅での教室は現在休止しており、イベント等はSNSやウェブサイトで告知）。

「『初心者なのですが』と前置きしてコンタクトしてきてくださる方が増えたと感じます。家で過ごす時間が長くなり、食について見直したいという健康志向も全体的に高まっているのでしょうね。グルテンフリーに限らず、そもそもわたしのレシピは、道具も材料も工程もとてもシンプルですが、なかでも米粉のレシピは、グルテンを含まないので、生地の混ぜ方に高度なテクニックがいりません。レシピ通りの分量と工程でつくれば、初心者の方でも失敗なくできますよ」

たしかにグルテンを含む小麦粉には、混ぜすぎるとかたくなる性質があるため、お菓子づくりでは「生地をこねすぎないようにさっくりと混ぜる」といったコツが必要だが、米粉ならその点を気にしなくていい。また、米粉はダマにならないので粉をふるう工程と専用の道具も不要だし、さらに今井さんのレシピは卵も使わないため、ボウルの数も大小2

個あれば事足りる。準備も後片づけも簡単だから、「米粉のお菓子を手づくりすること」を日常に組み込みやすい。実際、わたしも毎週のように今井さんのレシピで米粉のおやつをつくっている。

「つくるうえでむずかしいことはあまりないのですが、あえていえば『生地の水分を感触で確認すること』でしょうか。たとえばドーナツの場合、豆腐の水分量は商品によってまちまちなので、粉気がなくなるまで生地を混ぜて、ベタつかずに自然にボウルからはがれる感じがちょうどいい。ベタつくようなら少し米粉を足し、まとまりにくければ少し水分を足す、というのを自分で調節してみてください」

「酒粕を入れるとチーズのような風味になります。他のハーブやナッツでもぜひアレンジしてみてください」

酒粕とバジルのスコーン

［材料］ 6個分

A）	米粉	75g
	アーモンドプードル	15g
	片栗粉	15g
	てん菜糖	15g
	ベーキングパウダー	小さじ1/2
	塩	小さじ1/4

酒粕	30g
オリーブオイル	大さじ2
クルミ（ローストしたもの）	30g
バジル	2〜3枚
豆乳ヨーグルト	大さじ2〜2½

＊豆乳ヨーグルトは普通のヨーグルトでも代用できます。

(1)

［つくり方］

① Aをボールに入れて均一に混ぜる。酒粕、オリーブオイルを入れ、手で全体が馴染むようにすり合わせる。

②クルミを軽く砕いて入れ、バジルもちぎって加える。（写真1）

③豆乳ヨーグルトを入れてひとまとめにする。オーブンシートの上で厚さ2センチ程度、直径12センチくらいの丸に整え、6等分に切り込みを入れる。（写真2）

④予熱した170℃のオーブンで約20分焼く。

(2)

自分に必要のないものは
やがて違和感となっていく

今井さんのお菓子教室の生徒さんの例で、こんな印象的な話を聞かせてくれた。

「以前はコンビニのお菓子を日常的に食べていたけれど、自分でお菓子を手づくりするようになって、しばらく市販のお菓子からは遠ざかっていたそうなんです。ある日、久しぶりにコンビニで前に好きだったお菓子を買ってみたら、食べてすぐ舌がピリピリして、香料も気になり、おいしいと思えなかった、と。ずっと食べ続けていたらわからないけれど、抜いてみたら違和感に気づく、というのは、小麦粉のグルテンも同じかもしれません。おいしいと感じないのは製品の問題ではなく、自分の体がそれを必要としていないから、違和感を持つんだと思います」

体が欲するものを食べるとおいしいし、欲していないものは、自然に手が伸びなくなる。わたしのグルテンフリー生活も、まさにそんな感じだ。何かを抜いたりやめたりすることは、「そうするべき」と頭で考えているうちはつらいけれど、体が気持ちいいほうへと向かっている実感があると、つらくない。

「これまでの食べ方を見直す機会は、アレルギーや病気の治療だけがきっかけでなくてもいい。むしろ、もっと前の段階でやったほうが、いいことが多いと思うんです。『それほど深刻ではないけれどなんとなく不調』という程度でも、食生活を変えてみると不調が取り除かれて、そうすると体って、すごくラクになりますから」

今井ようこ（いまいようこ）

「アフタヌーンティールーム」や「KIHACHI」のメニュー開発を担当したのち、マクロビオティックを学び、自宅で動物性の材料を使わない料理とお菓子の教室「roof」を主宰。著書にグルテンフリーのレシピブック『いちばんやさしい米粉のおやつ』『至福の米粉スイーツ』（ともに家の光協会）がある他、『まいにちたべたいヴィーガンスイーツ』（立東舎）、共著『栗のお菓子づくり』『桃のお菓子づくり』（ともに誠文堂新光社）など多数。instagram @arameroof

パンケーキ

「小麦粉とはまた違う食感のパンケーキは、冷めてももちもちでやわらかいです。器にパンケーキとクリーム、フルーツを重ねてトライフルにしても、とてもおいしいのでおすすめです」

［材料］10センチくらいのもの　6枚分

A）	豆乳ヨーグルト	240g
	てん菜糖	30g
B）	米粉	100g
	片栗粉	15g
	ベーキングパウダー	小さじ1½

［つくり方］

①　ボールにAを混ぜ合わせ、そこに混ぜ合わせたBを入れて混ぜる。

②　温めたフライパンに生地を流し、弱めの中火で焼く。生地の周りが乾いてきたら返す。2分程度焼く。

＊お皿にパンケーキと季節のフルーツを盛り合わせる。お好みで、P.238の米粉カスタードクリームと水切りしたヨーグルトをのせ、メープルシロップをかけて食べる。

米粉カスタードクリーム

豆乳水切りヨーグルト

◎米粉カスタードクリーム（写真右）

［材料］作りやすい分量

米粉	15g
てん菜糖	15g
粉寒天	小さじ⅓
メープルシロップ	大さじ1½
豆乳	150cc
バニラビーンズ	2センチくらい

［つくり方］

豆乳以外の材料とバニラビーンズは種をしごき、さやごと鍋に入れる。少量の豆乳（分量内）を入れて全体を馴染ませ、残りの豆乳も入れる。中火にかけ、とろみが出て湧いてきたら弱火にし、２～３分火を入れる。冷水に当てて混ぜながら冷ます（もしくはボールやバット等に入れてラップをぴったりとつけて冷ます）。

◎豆乳水切りヨーグルト（写真左）

［つくり方］

ボールにザルを乗せてクッキングパーパーを敷き、豆乳ヨーグルトを入れる。冷蔵庫で５～６時間水を切る。

＊豆乳ヨーグルトは普通のヨーグルトでも代用できます。

Interview

都会で見つけた「好きなものの種」を地元に戻って育ててみたい

石澤敬子さんは、P.215のエッセイ『金継ぎの時間』に書いた「自宅で金継ぎ教室をしている知人」である。久しぶりに再会して話したら、東京から郊外の地元に戻り、家をつくり、そこでできることを見つけようとして……と、わたしたちには共通点があるとわかった。人生の前半で拾い集めた「好きなものの種」を、これから地元でどう育てていこうか。自分の軸を持ちつつ、転機や変化も前向きに活かす。石澤さんのお話には、終始気持ちのいい風が吹いていた。

憧れていた家に住めたとき何か発信したいと思った

石澤さんが2018年から再び暮らしはじめた地元の街は、神奈川県川崎市。元住吉駅前の活気ある商店街から脇道に折れた、かつて石澤さんが小学校低学年まで暮らした場所に、2年がかりで新居を建てた。そこは近年は駐車場として使われていた土地で、母と兄夫婦が暮らす実家も、徒歩圏内にある。

｜父が亡くなり、母も高齢なので、娘のわたしにも近くに住んでほしいと思ったようです。『この土地にアパートでも建てて、一部屋に住みながら管理人をしたら？』と最初は持ちかけられたんですが、わたしは東京で住んでいた家があまりにも好きだったので、地元に戻ることについて考えたのは、それが初めてでした」

石澤さんが大好きだったと語る東京の家は、雑誌のインテリア取材で訪れたことがある。麻布台にある古い洋館を集合住宅にした瀟洒なアパートメントで、そのクラシカルな建物と、住人の石澤さんの雰囲気は、本当にお似合いだった。

「あのアパートは『ミナ ペルホネン』の同僚から住み継いだ物件で、気づけば12年も住んでいたんです。建物が魅力的で立地も便利だから、『ものづくりにまつわる発信をここでやってみたい』という思いが自然に湧いてきて」

その思いは「自宅で行う小規模なワークショップ」というかたちになり、記念すべき第１回は「こぎん刺し自力会」。とくに講師は呼ばず、

本を囲んでお互い教え合いながら和やかに時を過ごす場として、ブログで参加を呼びかけた。

「果たして人は集まるのかと、おそるおそる募集したんですが、知り合いでもない人たちが午前と午後に４、５人ずつ集まってくれて。人数も、内容の気軽さもちょうどいいなと思って、それからは、アロマを学んだ友人を講師に迎えてアロマオイルをつくったり、仲良しのコサージュブランドのワークショップを開いたり。ただ、ワンフロアに住まいも兼ねていて、だんだん手狭に感じはじめていたんです。母から地元に戻る話を相談されたのは、ちょうどそんなタイミングでした」

いずれ同じことをやるなら
少しでも早いほうがいい

麻布台の洋館を舞台に築いた世界を、郊外に移して継続できるのか、という不安はあった。けれどすぐに「元住吉でやるならどんなかたちがいいだろう」という思考に切り替えたのが、石澤さんの潔さだ。

「結局５年後に同じことをやるなら、今やればいいし、むしろ早いほうがいいと思ったんです。家を建てるにも、土地になじむにも、活動が軌道に乗るにも、それなりに時間がかかると想像できたから。母に、『アパート経営ではなく、自宅でワークショップができる家を建てたい』と伝えると、『それでもいい』と言ってくれたので、父の遺産も使わせてもらいながら、家を建てました」

美意識がすみずみから伝わってくる家から想像には難くないが、家づくりは、やはり大変な経験だったという。

「設計業者を途中で変えることになり、家を建てると決めてから、暮らしはじめるまでに2年もかかってしまいました。予算が限られていたので、細かい部分まで理想通りとはいかないけれど、最初からイメージしていたのは、ル・コルビュジエの『小さな家』やバウハウスのデッサウ校舎のような白い箱の建物だったので、トータルではとても気に入っています」

20年ぶりに戻ってみたら地元の生活感は魅力的

石澤さんの内にあった地元愛は、「とくに熱いわけではないけれど、

冷めているわけでもなかった」という。その温度感で20年ぶりに暮らしてみると、にぎやかな商店街が、昔とはまったく違う風景に映った。

「若いころは、意識がひたすら東京に向いていたせいで、たとえば青山の紀伊國屋にはパクチーが売っているのに地元の八百屋さんにはない、と不満に思ったりして(笑)。でも、麻布台に12年間住みながら、すぐ隣りの六本木で遊んでいたわけでもないんです。むしろ家で過ごす時間を年々大切にするようになっていたし、買い物も六本木よりは庶民的な麻布十番を使っていた。そうした価値観を身につけてから地元に戻ると、ここは生活するにはとてもいい場所だと気づけたんです」

元住吉の駅は、石澤さんが平日に出勤する「ミナ ペルホネン」の仕事場とも同じ沿線上にあり、東京に通うにも便利なエリアだ。にもかかわらず、実家を出て１人暮らしをすると決めたときは、亡き父がいい顔をしなかったという。

「当時わたしは30歳を過ぎていましたけど、父から見るといつまでも１人娘だし、好きなことだけして生きているように見えたんでしょうね。顔を合わせればケンカが絶えなくて。だから東京で自立して生活すれば認めてもらえると思ったし、実際にあのとき家を出てよかったと、今でも思います。それからは両親との関係もよくなり、大人同士として向き合えるようになったから」

自分が素敵だと思うものを
似た価値観の人と共有したい

麻布台の家では、数か月から半年に1回というゆっくりペースだった自宅でのワークショップを、元住吉では回数も内容ももっと充実させる、というのが石澤さんの当初からの構想だった。それはちゃんと実現していて、わたし自身、ここで行われる金継ぎ教室を通して「同じ趣味の人たちが1つの場所に集う楽しさ」を体感した。

「父が酒屋を営んでいて、商売をする家に育ったからなのか、わたしも人と接することが昔から好きでした。服飾専門学校を卒業後、パタンナ

ーとして就職した先を半年で辞めたのも、１人で机に向かってずっと仕事をするのが向いていない、とわかったからで。今は１人暮らしで、１人の時間は好きだし、大事です。でも一方で、自分と似た価値観の人たちと、素敵なものや楽しいことを共有したい。だからワークショップといっても、自分が先生になるつもりも、本格的なビジネスにしようというつもりもないんです。会社の仕事と、自分のものづくり、趣味の延長線上にあるワークショップを、１：１：１の割合でやっていくのが理想かな」

　その理想とするバランスは、この先また変わっていくのかもしれない。でも、そうした変化も受け入れるゆとりとやわらかさが、石澤さんと家の両方から伝わってくる。それがなんとも、心地いいのだ。

石澤敬子（いしざわけいこ）
「moss*」を屋号に、ワンピースやドレスをオーダー制作する家内製手工業人として活動。並行して、2000年より「ミナ ペルホネン」スタッフとしても勤務し、また自宅でのワークショップの開催も行っている。著書に『ノスタルジックなクローゼット』（文化出版局）など。instagram@keicomoss

［初出］

- note（https://note.com/nao_ogawa）
  2019年6月～2021年5月
  ＊本書収録にあたり、大幅な加筆・修正を行っています。

［書き下ろし］

- メルカリへの感謝状
- ホコリの思い出とそうじ魔の現在
- 今日も腸の話をしよう
- 松戸、マイ・ホームタウン
- コンポストからはじまるエコ生活
- 金継ぎの時間
- グルテンフリーを試して気づいた「不調がない体って気持ちいい」（Interview）
- 都会で見つけた「好きなものの種」を地元に戻って育ててみたい（Interview）

小川 奈緒（おがわなお）

エッセイスト・編集者。1972年生まれ。千葉県出身。早稲田大学第一文学部卒業。出版社のファッション誌編集部を経て、2001年よりフリーランス。著書に『直しながら住む家』『心地よさのありか』（ともにパイインターナショナル）、『家がおしえてくれること』（KADOKAWA）、『おしゃれと人生。』（筑摩書房）他多数。

instagram@nao_tabletalk

https://www.tabletalk.store/

ただいま見直し中

2021年12月9日　初版　第1刷発行

著者＝小川奈緒
発行人＝片岡巌
発行所＝株式会社技術評論社
東京都新宿区市谷左内町21-13
電話　03-3513-6150 販売促進部
03-3513-6185 書籍編集部
写真＝キッチンミノル
（カバー、表紙、後ろ見返し、P.6、8、52、63、73、80、
129～144、169、200、211、213、217、225～）
デザイン＝佐々木暁
編集＝秋山絵美（株式会社技術評論社）
印刷・製本＝株式会社加藤文明社

ISBN978-4-297-12439-7 C0077　Printed in Japan

二〇二一年秋、縁側の風景